GOOSEBUMPS™

鸡皮疙瘩

系列丛书

LING'OU II · YOULING YINYING

灵偶 II ● 幽灵阴影

〔美〕R.L.斯坦 著　叶芊 译

接力出版社
Publishing House

目录

灵偶 II

幽灵阴影

"鸡皮疙瘩"预告

欢迎来到"鸡皮疙瘩"俱乐部

致中国读者

中国的读者朋友们，你们好！

听说大家很喜欢我的书，我很开心。

我觉得，要让孩子们认识到他们可以到书里去寻找乐趣，这一点非常重要，并且，我还要让他们接触到惊悚的内容，但同时又有安全感。在这些惊悚的场景里我加入了一些幽默元素，这样小朋友们在开怀大笑的同时又有一点点紧张。

很多小朋友觉得交朋友是件很难的事儿，总是奇怪为什么别的小朋友在这方面好像更加轻松容易。对于腼腆的小朋友们，我的建议就是找到你喜欢做的事儿——不管是写作啦，还是运动啦，或者是玩游戏啦，等等。

做这些事儿，会带来两个益处。首先，你可能会遇到别的和你有同样兴趣的小朋友。其次，如果你真的对什么感兴趣，那么你谈论起来时就会轻松自如。

　　我从来就没停止过和孩子们的交流，我认为重要的是要让孩子们去寻找自己的方式。我提倡小朋友们多读书，找到自己感兴趣的可以轻松自如地谈论的内容。

　　我认为家长和老师倾听孩子的声音非常重要。有些孩子愿意和父母交流自己的感受，但有些却不愿意。有的时候他们虽然在说一些看似无关紧要的事情，但对于他们自己来说却很重要。

　　我希望有机会能来中国，见见大家，参观一下这个充满魅力的国度。我很喜欢龙，我一定会好好构思一个关于龙的精彩故事。

　　到北京看看是我心驰神往的事情。我住在纽约市的中心，但我可以打赌，北京肯定会让人感觉更大——哪怕是对于像我一样习惯了纽约的人来说也是如此。

智者的心灵历险（序一）

首都师范大学教授　著名儿童文学作家、诗人

国际安徒生奖提名奖获得者　金　波

人当少年时，智慧大增，却更加渴望心灵历险，愿意体验一下"恐怖"的刺激。那感觉，让我想起坐上"过山车"的游戏，惊险中嗷嗷的呼叫声不绝于耳，既是恐怖的，又是愉悦的。

现在提供给广大读者的这套"鸡皮疙瘩系列丛书"，当你阅读的时候，就像搭乘一次心灵历险的"过山车"。

少年心理的健康发展，需要一个磨砺过程，生活阅历中的挫折，情感体验中的悲喜，精神世界中的追求，都是人生不可缺少的历程。

心理上的"恐怖"也是一种体验，它可以给予我们胆识、睿智、想象力。

这套"鸡皮疙瘩系列丛书"，在美国颇受少年儿童的青睐，甚至让那些不爱读书的孩子，也耽读不倦，爱不释

手。因此，1999年，这套丛书曾以27种文字版本出版，全球销售两亿多册，作者R.L.斯坦被评为当年最受欢迎的儿童文学作家。

是的，阅读"鸡皮疙瘩系列丛书"，与我们通常阅读小说、童话以及科幻故事相比较，颇有异趣。书中斑驳陆离的情境，浩瀚恣肆的想象，直抉心灵的震颤，蔚成奇观，参配天地。

阅读"鸡皮疙瘩系列丛书"，感受心灵探险，好奇心得到充分的满足，获得充分的自由、畅快。在想象的世界中，可以我行我素，或走马古老荒原，邂逅精灵小怪，或穿越沼泽湿地，目睹青磷鬼火，或瞻谒古宅废园，发现千古幽灵，尽情享受一番超越现实、脱俗出尘的惊险和快乐。

这里有冥茫混沌中创造出的另一个世界，这个世界中所发生的故事，虽属怪诞，甚至可怖，虽是对不真实或不存在的事物纯乎幻想与游戏性的艺术再现，但它又与我们的现实生活息息相通，就如同发生在我们身边的事情，让你相信那诸多的神灵鬼怪，其实都是摄取于现实生活中实有的人物。

阅读这些故事，随着故事的进展，情感也随之波澜起伏，有壮烈的激情，有缱绻的爱意，也有凄美的伤感。总之，阅读的快感，丰沛而多彩。

阅读这样奇异的故事，经过一场心灵的历险和心理上的恐怖体验，同样会对善与恶、美与丑，或彼或此，有所鉴别，这同样有赖读者的灵性与妙悟。

这些故事，打破现实与虚幻、时间与空间的界限，富于魔幻和神秘色彩。我们畅游于这个奇幻的世界，感受着与宇宙万物的冲突、和谐，与古今哲思的交流、契合，与人类的心力才智的感悟、沟通。

我们可以和魂灵互致绸缪，可以把怪诞嘘之入梦。我们的精神世界丰盛了，视野开阔了，心理也会为之更加强健。

要做一个智者、勇者，就要敢于经历心灵的探险。阅读这套"鸡皮疙瘩系列丛书"，虽然会有坐"过山车"的惊恐，但终将"安全着陆"。那时候，你会津津乐道，回味无穷。

斯坦大叔，请摘下你脸上那副吓人的面具（序二）

著名儿童文学理论家、作家　彭　懿

——等了这么久，R.L.斯坦终于来敲门了。

隔着门缝，我窥见月光下是一个青面獠牙的怪物，是他，戴着面具，他来了，我发现我起了一身的鸡皮疙瘩，体温降到了零度。

这个男人就站在门外。

我战栗起来，我不知道是不是应该开门让这个寒气逼人的男人进来。其实，斯坦不过是一位给孩子们写惊险小说的作家，1943年出生于美国的俄亥俄州，比被誉为"当代惊险小说之王"的斯蒂芬·金还要大上四岁。不到十年的时间，他的"鸡皮疙瘩系列丛书"（Goosebumps）就卖出了一个足以让我们的畅销书作家汗颜的天文数字——2.2亿册！

我战栗什么呢？

我战栗，是因为惊险小说在我们这里还是一大禁忌。不单是我，许多甚至连惊险小说是一个什么概念都搞不清楚的人，只要一听到"恐怖"两个字，就脸色惨白了。我们是怕吓坏了我们的孩子。但我们忘了，几十年前，在一根将熄未熄的蜡烛后面睁大了一双双惊恐的眼睛听鬼故事的，恰恰正是我们自己。

事实上，我们许多人对惊险小说都有一种饥饿感，就连斯蒂芬·金自己都沾沾自喜地说了，不论是谁，拿起一本惊险小说就回归到了孩子。恐怖，原本是人类自诞生以来最原始的一种感情，但到了小说里面，它已经变味了，衍生出了一种娱乐的功能。

我们为何会如饥似渴地去追求这种惊险呢？

恐怕是因为惊险小说或多或少地表达了现代人在潜意识中的某种对日常生活崩溃的不安，而作为它的核心，潜藏在恐怖的背景之下的"神秘"与"未知"，更是满足了人们的好奇心。还有一个重要的理由，就是有光必有影，有了恶，才看得出善。从本质上来说，人是渴望"善"与"光明"的，通常被我们忽略或是遗忘了的这种倾向，在惊险小说的阅读中都被如数找了回来。不是吗，我们不正是在惊险小说里认识到了潜伏在恐怖背后的"恶"与"黑暗"的吗？面对恐怖，我们才重新发现了被深深地尘封在心底的"正义"、"善"和"光明"。

——门外的斯坦等不及了，开始砸门了，他号叫着破门而入。

斯坦的"鸡皮疙瘩系列丛书"可是够吓人的，看看他都给孩子们讲述了一个个什么故事吧——埃文和新结识的女孩艾蒂从一个古怪的商店买回了一罐尘封的魔血。他的爱犬不小心吃了一口，于是它开始变化，那罐魔血也开始膨胀吃人……

斯坦绝对是一个来自魔界的怪物。

作为一个同行，我无法不对斯坦顶礼膜拜，每个月出书两本的斯坦怎么会有那么多诡异的灵感？他在接受《亚特兰大日报》的采访时曾说过一句话："我整天文思泉涌，写得非常顺手……"斯坦从不吝啬自己的灵感，甚至已经到了铺张奢华的地步，这就不能不让我起疑心了，据说他房间里有一副土著人的面具，我怀疑斯坦一定是戴着这副被下了毒咒的面具不知疲倦地写作的。

除了灵感，他的想象力也是无与伦比的。

当然了，还有故事。和斯蒂芬·金一样，斯坦也是一个讲故事的高手，唯一不同的是，斯蒂芬·金是在给大人讲故事，而斯坦是在给孩子讲故事。在我们愈来愈不会讲故事、一连串的短篇就能串起一部十几万字的长篇的今天，斯坦显得实在是太会讲故事了。他从不拖泥带水，一个悬念接着一个悬念，永远出乎你的意料之外。

记忆里，我似乎没有看到过比它们更好看的故事。

——我逃进了过道，斯坦狞笑着在后面紧追不舍。我透不过气来了，我打开一扇壁橱的门钻了进去，我在暗处打量起这个男人来。

像《魔戒》的作者托尔金提出了一个"第二世界"的理论一样，斯坦也为自己量身定做了一个理论：安全惊险。所谓的"安全惊险"，又称之为"过山车理论"，说白了，意思就是你们读我的惊险小说，就像坐过山车一样，虽然坐在上面会发出一阵阵惊叫，但到头来总会安全着陆。斯坦这人也是够世故的了，明眼人一看就知道这套所谓的理论不过是说给那些拒绝让孩子看惊险小说的大人听的，是一块挡箭牌。

尽管斯坦的"过山车理论"多少带了点贼喊捉贼式的心虚，我们还能指责他一两句，但他在惊险小说上的造诣，我们就只有仰视的份儿了。可以这么说，斯坦已经把惊险小说——至少是给孩子看的这一块——发挥到了极致。

第一，斯坦把惊险推向了我们的日常。你去看他的故事好了，它们几乎都发生在一个与你咫尺之遥的地方，就在你身边，主人公与你一样地说"酷"，与你穿一样的耐克鞋，与你拥有一样的偶像、一样的苦恼……这正是现代惊险小说的一大特征。它缩短了与读者之间的距离，使读者与书中那些与自己相似的人物重叠到了一起。只有这样，读者才会不知不觉地对那些来自魔界或另外一个世界的怪物们信以为真，才会共同体验或者说是共同经历一场可怕的恐怖。

　　故事发生在我们的日常，并不是说现实世界与幻想世界的界限就在斯坦的作品里消失了。实际上，这不过是幻想小说里一种常见的模式而已，即"日常魔法"（Everyday Magic），它是《五个孩子和一个怪物》的作者E.内斯比特的首创，它不像"哈利·波特"那样从现实世界进入一个幻想世界，而是颠倒了过来，即幻想世界的人物侵入到了现实世界。斯坦非常的聪明，这种"日常魔法"的写法，不需要去设置什么像九又四分之三车站一样的通道，轻而易举地就能俘获读者的"相信"。

　　第二，斯坦把快乐注入了惊险。写过《挪威的森林》的村上春树曾说过一句话：好的惊险小说，既能让读者感到不安（uneasy），又不能让读者感到不快（uncomfortable）。斯坦就做到了这一点，岂止是没有不快，而是太快乐了。从斯坦的简历中我发现，斯坦曾在一家儿童幽默杂志任职长达十年之久，所以他的惊险小说才能那样逗人发噱。

——斯坦发现了我，一把把我从壁橱里面拽了出来，拽到了阳光下面。这时，他把脸上的面具摘了下来，我终于看清了他的一张脸。

斯坦戴着一副眼镜，不过，他镜片后面的那双眼睛很亮、很单纯，无邪得就像是一个孩子。这与斯蒂芬·金就大不一样了，斯蒂芬·金的那双眼睛混浊得让你不寒而栗。这也就是为什么上帝要选择斯坦来为孩子们写惊险小说的缘故吧！

真的，你读斯坦的书，就像是被一个戴着怪物面具的大叔在后面手舞足蹈地追着，他嘴里发出的尖叫声比你还恐怖，还不时地搔上你几下，你会哇哇尖叫，会逃得透不过气来，但你不会死，你知道这不过是一场游戏。

灵 偶 II

1　家庭分享夜

我的名字叫艾米·克雷默。每个星期四的晚上，我都觉得有点儿没劲。因为那天是我家的"家庭分享夜"。

莎拉和杰德也觉得没劲。但妈妈和爸爸才不管我们的抱怨呢。"这是一个星期之中，最重要的一个晚上。"爸爸说。

"这是家庭传统，"妈妈补充说，"你们这些孩子会永远记得的。"

没错，妈妈，我会永远记得，记得它的烦人和难堪。

你可能已经猜到了，在家庭分享夜，克雷默家的每个成员，除了乔治——我们的猫咪，都得找点什么和家里人分享。

对姐姐莎拉来说，这不是什么太坏的事。莎拉十四岁——比我大两岁，她是一个天才的小画家。真的，她的

一幅作品被市区的艺术馆选中了，明年莎拉可能会进一所艺术高中。

所以，莎拉说的总是她手头的几幅素描，或者新的画作。

对杰德来说，家庭分享夜也不是那么讨厌。我这个十岁的弟弟，是一个十足的呆瓜，什么可以说，什么不能说，他才不管。在星期四的晚上，他响亮地打着饱嗝儿，说是在分享他的晚餐。

杰德笑得像疯子一样。

但爸爸妈妈可不认为有什么好笑。他们狠狠地训了他一顿，叫他严肃地对待家庭分享夜。

上一次家庭分享夜，这个讨厌的弟弟和大家分享的是一张小字条，是我的同学大卫·密勒写给我的，是私人信件啊！杰德在我房间里找到它，决定拿出来跟大家分享。

不错吧？

我尴尬得想去死，真的。

杰德自以为机灵可爱，干了什么坏事都不会受罚，总觉得自己很特殊。

照我看，这是因为他是全家唯一长着红头发的人。莎拉和我都是一头黑色的直发，有深绿色的眼睛和很深的棕色皮肤。他却肤色苍白，长着雀斑，顶着一脑袋卷曲的红头发，好像是别人家的孩子。

有时候，莎拉和我都希望他真是别人家的。

说到底，我是最为家庭分享夜头疼的人。因为我既没有莎拉那么天赋过人，又没有杰德那么没心没肺。

所以，我总是不知道该拿什么出来分享好。

我倒也收集贝壳，把它们用罐子装起来，放在衣橱里。但拿贝壳做话题，实在是有点儿没意思。而且，我们已经有差不多两年没去海边了，我的贝壳已经有点儿旧，全都是大家看过的。

我的CD收藏也很丰富，但家里除了我，谁都不了解鲍伯·马利和雷鬼乐。如果我想跟他们说说音乐，他们就会捂起耳朵，叫苦连天，直到我不说了为止。

所以，我通常就只好编故事交差——什么女孩一次次死里逃生的冒险故事啦，或者是公主变成了老虎的神怪故事。

我上一次讲完故事后，爸爸眉开眼笑。"艾米以后会成为著名的作家，"他宣布，"她有编故事的天赋。"爸爸的眼光在屋内一扫，继续微笑，"我们真是一个才华横溢的家庭啊！"他自豪地说。

我知道，他这么说，是想当一个好父亲，想"鼓励"我。谁都知道，我们家只有莎拉才称得上是"才华横溢"。

今晚，杰德第一个讲。妈妈和爸爸坐在客厅的沙发上，爸爸拿着一张纸巾，眯着眼睛擦他的眼镜片。哪怕一点点灰尘沾在镜片上，爸爸都会受不了，他一天大概要擦二十次眼镜。

我坐在墙边一张大大的棕色扶手椅里，莎拉盘腿坐在我身边的地毯上。

"今晚你想跟大家分享的是什么？"妈妈问杰德，"但愿不会又是一个可怕的饱嗝吧。"

"好恶心！"莎拉埋怨地说。

"你的脸才恶心！"杰德抢白道，朝莎拉吐出舌头。

"杰德，拜托——今晚饶了我们吧，"爸爸说了一句，把眼镜架上鼻梁，又调整了一下，"别捣乱。"

"她挑起的。"杰德不依不饶，指着莎拉说。

"还是赶紧分享吧。"我对杰德说完，叹了口气。

"我想分享你的雀斑，"莎拉对他说，"我要一粒一粒把它们抠下来，拿去喂乔治。"

我和莎拉一起放声大笑。乔治无动于衷，正蜷成一团，在沙发边的地毯上打盹。

"这样不好玩儿，姑娘们，"妈妈斥道，"对弟弟别那么刻薄。"

"今晚应该是个温馨的家庭团聚日，"爸爸叹息，"为啥咱们就不能像一家人那样？"

"我们就是呀。"杰德说。

爸爸双眉紧皱，摇了摇头。他一做出这副模样，就活像一只猫头鹰。"杰德，你到底还说不说了？"他疲惫地说。

杰德点点头："说。"他站在房间中央，两手插在牛仔裤口袋里。他穿的牛仔裤总是松松垮垮，又肥又大，大了至少十码，每时每刻都像要掉下来的样子。杰德认为这就是"酷"。

"我……呃……学会了含着手指打呼哨。"他宣布。

"哇。"莎拉讽刺地说了声。

杰德没理她，把手从口袋里拿了出来。然后，他伸出两只小手指，放进两边嘴角含着，长长地吹了一声尖厉的口哨。

他又吹了两声，然后来了个深鞠躬。全家人热烈地鼓掌欢呼。

杰德微笑着，又低低地鞠了一躬。

"多么有才华的家庭啊！"爸爸赞叹。这一次，他是在打趣。

杰德在乔治旁边扑通一声坐下，惊醒了那只可怜的猫。

"到你了，艾米，"妈妈说着，向我转过身来，"想再给我们讲个故事吗？"

"她的故事太长了！"杰德抱怨。

乔治晃晃悠悠地爬起身，走到杰德几英尺之外，张嘴

打了个哈欠，在妈妈脚边趴下。

"今晚我不讲故事。"我宣布，从身后拿出了丹尼斯。

莎拉和杰德一齐大声哼哼起来。

"嘿——别这样!"我没好气地说。我坐上椅背，将木偶摆在膝盖上。"我今晚要和丹尼斯聊天。"我对爸爸妈妈说。

他们的脸上隐隐露出一丝微笑，我不在乎。我已经拿着丹尼斯练了一个星期，现在想和他一起尝试一下新的滑稽表演。

"艾米的口技表演很臭，"杰德插嘴，"她的嘴唇动得太明显。"

"别吵，杰德，我觉得丹尼斯很有趣。"莎拉说完，跑到沙发上坐着，好看得清楚。

我将丹尼斯在左膝上摆正，手指缠着他背后的细绳，用来操纵他的嘴巴。丹尼斯是一只很老很旧的口技木偶，脸上的油彩已经磨损得厉害，一只眼睛差不多变成全白的，套头毛衣已破破烂烂。

但他给我带来了很多乐趣。表弟妹们来我家时，我喜欢用丹尼斯来逗他们，他们嘻嘻哈哈，大喊大叫，觉得我滑稽好玩儿。

我觉得，虽然杰德不太满意，但我和丹尼斯的口技表演还是越来越有进步的。

我深呼吸了一下，看一眼爸爸妈妈，开始表演。

"今晚过得好吗，丹尼斯?"我问。

"不太好。"我捏着嗓子替丹尼斯回答道。这个又尖又细的嗓门儿算是丹尼斯的。

"真的吗，丹尼斯? 你生气了?"

"我生虫了。"

爸爸妈妈大笑起来，莎拉微微一笑，杰德故意不买账地大声哼哼。

我继续看着丹尼斯。"那，你看医生了吗?"我问他。

"没有，我要去看木匠。"

这一回，爸爸妈妈只是微笑，没有大笑。杰德又哼了起来，莎拉把手指往喉咙里一插，做出要呕吐的样子。

"没人喜欢你这个笑话，丹尼斯。"我告诉他。

"谁讲笑话啦?"丹尼斯回答。

"没劲。"我听到杰德对莎拉说，她同意地点了点头。

"我们换个话题吧，丹尼斯，"我说着，把木偶换到另一边膝盖，"你有女朋友吗?"

我把丹尼斯往前倾，想让他点个头说"有"，但他的头从肩膀上滚了下来。

木头脑袋砸在地上，发出砰的一声，然后弹向乔治。猫吓得一个激灵，跳起来一溜烟跑了。

莎拉和杰德笑得前俯后仰，还互相击了一掌。

我气恼地跳起来。"爸爸!"我尖声说,"你答应过我,要买一个新木偶的!"

杰德赶到地毯上捡起丹尼斯的头,拉动绳子,让木偶的嘴巴一开一合。"艾米臭臭! 艾米臭臭!"杰德让木偶一遍又一遍地说道。

"还给我!"我怒气冲冲,一把从杰德手里抢了过来。

"艾米臭臭! 艾米臭臭!"杰德不停嘴地唱道。

"够了!"妈妈大喝一声,从沙发上噌地站起来。

杰德缩到了墙边。

"我去过商店,想买一个新木偶,"爸爸又把眼镜拿下来,凑到眼前看,"但它们还是那么贵。"

"就用这个,我的技术怎么可能进步呢?"我不高兴地问,"一动丹尼斯,他的头就掉下来!"

"你尽力吧。"妈妈说。

这是什么意思? 我最讨厌她说这句话。

"这哪里是家庭分享夜啊,成了'星期四大战夜'啦。"莎拉说。

杰德立即攥起两只拳头。"想打架吗?"他问莎拉。

"轮到你了,莎拉,"妈妈说着,眼睛却眯起来盯着杰德,"今晚你想分享的是什么?"

"我又画了一幅画,"莎拉宣布,"是水彩的。"

"画的是什么?"爸爸往脸上架眼镜。

"还记得几年以前的夏天，我们在缅因州住过的小木屋吗?"莎拉说着，甩了甩黑色的直发，"就是黑色的石崖顶上那间？我找到它的一张照片，想把它画下来。"

突然间，我又是气愤，又是沮丧。我得承认，我很忌妒莎拉。

那边的她，准备展示一幅漂亮的水彩画；这边的我，在膝盖上滚着一个破木偶的头。

真不公平！

"你们到我房间来看吧，"莎拉说，"还是湿的呢。"

我们都站起来，去莎拉的房间。

我们家住在一幢单层的农庄式住宅里，我和杰德的房间在一条走廊的尽头，客厅、餐厅和厨房在中间，莎拉和爸爸妈妈的房间在对面走廊。

我领头进了走廊，在我身后，莎拉正不停地说着她绘画时遇到的困难，还有她怎样解决了这些困难。

"我还很清楚地记得那小木屋呢。"爸爸说。

"我急着想看这幅画。"妈妈说。

我走进莎拉的房间，打开了灯。

我望向窗边的画板，看到了那幅画——发出一声惊骇的尖叫。

2 一张笑脸

我震惊地大张着嘴，盯着那幅画，一句话都说不出。

莎拉看到了，尖叫一声。"我……怎么会这样！"她叫道，"谁干的?"

有人用黄色和黑色在她作品的一角画了个笑脸，正好在黑色悬崖的中间。

妈妈和爸爸走到画板前，一副不胜其烦的样子。他们仔细研究了一会儿这个笑脸，然后一起转身，看着杰德。

杰德爆笑起来。"画得好看吗?"他天真无邪地问。

"杰德——你怎么能这样！"莎拉发作了，"我要杀了你！一定的！"

"这幅画的色调太暗了，"杰德耸耸肩，解释道，"我想让它亮一点。"

"可是……可是……可是……"姐姐气得语无伦次，

最后她怒吼一声，攥紧两只拳头，在杰德的面孔前面晃。

"杰德——你到莎拉的房间里来干什么？"妈妈问道。

莎拉不欢迎任何人进她的宝贝房间，除非她给你写了邀请信！

"年轻人，你明知道自己不能去动姐姐的画。"爸爸责备地说。

"我也会画呀，"杰德回答，"我画得好着呢。"

"那就画你自己的！"莎拉呵斥道，"不要偷偷摸摸溜进来捣乱！"

"我可没有偷偷摸摸，"杰德辩解了一句，赖皮地对莎拉说，"就是想给你帮个忙。"

"根本就不是！"莎拉尖声大叫，愤怒地将黑发甩到肩后，"你毁掉了我的画！"

"你的画臭臭的！"杰德冲她吼了回去。

"别吵了！"妈妈喝道，两只手握住杰德的肩膀。"杰德——看着我！你可能不知道这件事有多严重，这是你做过的最坏的事！"

杰德的笑容慢慢不见了。

我又看了一眼涂在水彩画上的丑陋笑脸。杰德仗着自己是家里最小的一个，以为可以想干什么就干什么。

但我知道，这一次他太过分了。

毕竟，莎拉是我们家的明星，真正有才华的是她，作

品挂在美术馆里的也是她。拿莎拉最宝贵的画捣乱，杰德这下麻烦大了。

莎拉对自己的画是那么自负，有好几回，连我都想过，要在她的画上画点什么滑稽东西。当然，我只是想想而已，我永远不会做出这么可怕的事。

"你用不着忌妒姐姐的画，"爸爸对杰德说，"我们这个家的人，全都有自己的才能。"

"嗯，是啊，"杰德说。他有一个古怪的习性，一旦惹了麻烦，他不会说对不起，相反，他会很生气。"那你有什么天赋，爸爸?"杰德不敬地问。

爸爸咬紧了牙关，眯缝着眼睛看杰德。"我们讨论的不是我，"他压着嗓门说，"不过可以告诉你，我的才能是做中国菜。你看，才能是各种各样的，杰德。"

爸爸自认为是做中国沙锅菜的大师。每星期都有一到两次，他把一大堆蔬菜切成小块，放进一只电子沙锅——妈妈送他的圣诞礼物——里煮熟。

我们假装吃得津津有味。

没必要打击爸爸。

"你们会不会惩罚杰德?"莎拉尖声质问。

她打开水彩画盒子，在黑色颜料里蘸着画笔。然后她开始涂抹那个笑脸，动作很毛躁。

"会，杰德要受罚，"杰德垂头丧气地看着地面，妈妈看着他说，"首先，他要向莎拉道歉。"

我们都等着。

过了好一阵子，杰德才说出一句："对不起，莎拉。"

他转身想走，但又被妈妈抓住肩膀拉了回来。"先别走，杰德，"她告诉他，"你的惩罚是，星期六不准和乔希、玛特去看电影。还有，一个星期不准玩电子游戏。"

"妈——别这样啊！"杰德哀叫一声。

"你做的事太坏了，"妈妈严厉地说，"也许这样的惩罚能让你知道，它到底坏到什么地步。"

"我就要看电影！"杰德抗议地说。

"不行，"妈妈语气放软了，"不要再讨价还价，不然罚得更重些。现在回房间去吧。"

"我觉得罚得太轻。"莎拉在画上轻点画笔。

"这个不用你管，莎拉。"妈妈厉声说。

"对，不用你管。"杰德嘀咕一句，跺着脚走出去，穿过长长的走廊，回自己房间了。

爸爸叹息一声，伸手摸摸秃顶的头。"家庭分享夜宣告结束。"他不快地说。

我又在莎拉的房间里多留了一会儿，看她修补那幅画。她嘴里不停发出啧啧的声音，连连摇头。

"我得把岩石的颜色加深，不然盖不住那个鬼笑脸，"她

生气地解释说，"可是，如果岩石的颜色深了，天空的颜色也得改，不然就打破了平衡。"

"我觉得那样更好看。"我想让她高兴起来。

"杰德怎么能做出这种事？"莎拉边拿画笔蘸水边问，"他怎么能溜进来，这样毁掉一幅艺术作品？"

我本来为莎拉感到难过，但这句话让我的同情心立即消失得无影无踪。我是说，为什么她不能只说"水彩画"？为什么她一定要称之为"艺术作品"？

有时候，她那么自负，那么自恋，真叫我反感。

我转身走出房间，她甚至都没注意到。

我穿过走廊回到自己的房间，给我的朋友玛歌打了个电话。我们闲聊了一阵，计划着第二天一起玩儿。

在我打电话的时候，杰德在隔壁房间走来走去，搞出一阵砰砰的声响，吵死了。

有时候，我会把"杰德"两个字，读成"臭小子"。

玛歌的爸爸叫她挂了电话。他把她管得很严，打电话从来不准超过十到十五分钟。

我走进厨房，冲了一碗甜玉米片吃，这是我最爱的睡前小吃。从我还是一个小娃娃起，每晚上床前，一定要吃上一碗玉米片，这个习惯一直保持到现在。

我洗干净碗，跟爸爸妈妈道过晚安，便上床睡了。

这是一个温暖的春夜。窗帘被柔和的微风掀起，轻拍着窗户。大大的一个半圆的月亮，放出雪白的光辉，洒落在窗台和地板上。

脑袋一挨上枕头，我立即就坠入了深沉的梦乡。

但没过多久，我就被惊醒了，不知道是什么。

我半梦半醒，极力睁开眼睛，从枕头上抬起身子，想看清周围。

窗帘拍打着窗户。

我睡意未消，觉得好像还在做梦。

但窗户上的东西，令我悚然清醒。

窗帘在鼓起，飘扬。

在银色的月光下，我看到了一张脸。

一张龇牙咧嘴的丑陋面孔，出现在我的卧室窗台上，在黑暗中，向我张望。

3 杰德的报复

窗帘再一次飘起。

那张脸一动不动。

"谁?"我只说出半句话，并把被单一直拉到下巴。

那双眼睛瞪着我看，冷冷的，直勾勾的。

木偶的眼睛。

丹尼斯。

丹尼斯毫无表情地瞪着我，白惨惨的眼珠在月光下微微闪亮。

我愤怒地大叫了一声，呼的一下扯开被单，跳起来就冲向窗边。

我拂开被风吹得鼓胀的窗帘，从窗沿上一把抓起丹尼斯的头。"谁干的，丹尼斯?"

我听到身后传来轻轻的笑声，就在走廊里。

我握着那个脑袋，一阵风地穿过房间，拉开房门。

杰德正用手捂着嘴，不让自己笑得太响。"吓到你啦！"他乐滋滋地小声说。

"杰德——你个讨厌鬼！"我大叫，手一松，让木偶的头掉到地上，然后两手揪住杰德的睡裤，用力往上扯，有多高扯多高——几乎扯到他的下巴上！

他痛苦地吸了一口气，歪歪扭扭地后退到墙边。

"你为什么这样？"我愤怒地低声质问他，"为什么把木偶的头放在我的窗台上？"

杰德提好裤子。"报复你。"他说。

"啊？我？"我尖叫，"我没得罪你啊，我做了什么？"

"你不帮我说话，"他怨气冲天地说着，抓抓满头红色的卷发，眯起眼睛看我，"你一句话都不说，不帮我，嗯，就是莎拉的画那件事。"

"什么？"我叫起来，"你让我怎么帮你？我能说点什么？"

"你可以说，那不是什么大不了的事。"杰德回答。

"可它就是大事！"我告诉他，"你明明知道，莎拉把她的画看得多重。"我摇了摇头，"很抱歉，杰德，但你确实应该受到惩罚，真的。"

他站在昏暗的走廊里，盯着我，想着我说的话。然后，一个坏笑慢慢浮现在他雀斑点点的脸上。"但愿没有

把你吓坏，艾米。"他笑得好阴险。然后，他从地毯上捡起丹尼斯的头，朝我一抛。

我一只手接住了它。"去睡吧，杰德，"我告诉他，"还有，不准再乱动丹尼斯!"

我退回房间，关上门。写字椅上有一堆衣服，我随手将丹尼斯的头扔在了衣服上，然后困倦地回到床上。

今天晚上的麻烦可真多，我边想边闭上眼睛，让自己放松下来。

麻烦真多……

两天后，爸爸带了一件礼物回家送给我。

一个新的口技木偶。

这才真的是麻烦的开始。

4 爸爸的礼物

第二天，玛歌来了。玛歌真的很袖珍，有点儿像个迷你人。她面孔只有一丁点大，很好看，明亮的蓝眼睛，五官很精致。

她有一头漂亮的淡金色头发，今年一直留着没剪，快要垂到她细细的腰上了。

她比我矮将近一英尺，虽然我们俩都在二月份满了十二岁。她很聪明，很招人喜欢，但男孩子们乐意拿她的细嗓门开玩笑。

今天她穿了一件浅蓝色的贴身无袖背心，下摆塞进白色网球短裤里。"我又买了一张甲壳虫的专辑。"她一进门就对我说，举起手里的CD盒。

玛歌是甲壳虫乐队的歌迷。其他的新乐队，她一个都不听。在她房间里，有整整一架甲壳虫乐队的CD和卡带，

墙上是甲壳虫的海报。

我们进了我的房间，放上CD。玛歌坐在床上，我四仰八叉地躺在她对面的地毯上。

"爸爸差点儿就不让我来了，"玛歌对我说着，将长发拂到肩后，"他想让我到餐厅去打工。"

玛歌的爸爸在市区开了一家很大很大的餐厅，名叫"派对屋"。它其实并不完全是餐厅，是一幢很大的古老建筑，有一间又一间大厅，人们可以在里面开庆祝会。

很多小孩在里面开生日会，还有成人礼、坚信礼和婚礼。有时候，那儿会有六场庆祝会同时进行！

甲壳虫乐队唱完一支歌，下一首《爱我吧》开始了。

"我爱死这首歌了！"玛歌大声说。她跟着唱了一会儿，我想和她一起唱，可惜却是五音不全，就像爸爸说的，我的调子跑得找不到北了。

"你今天不用去打工，我真高兴。"我对玛歌说。

"我也一样，"玛歌叹息一声，"爸爸总是把最差的工作留给我，你知道的，什么擦桌子啦，收碟子啦，还有装垃圾袋。真恶心。"

她又唱了起来——然后停住，在床上坐直身子。"艾米，我差点忘了，爸爸有工作给你干呢。"

"什么？"我回答，"装垃圾袋？我可不想去，玛歌。"

"不，不是，听我说呀，"玛歌小老鼠一样吱吱叫的细嗓门兴奋地恳求我，"是个美差哟。爸爸接了好多个生日会的订单，是给很小的小孩开的，嗯，两三岁，或者三四岁。他想让你去给他们逗乐子。"

"啊？"我望着好朋友，还是不明白，"你是说，跑去唱歌什么的？"

"不是，是带着丹尼斯一起来。"玛歌解释说。她手指上缠着一绺头发，一边说话，她的脑瓜儿一边合着拍子上下振动。"爸爸在六年级才艺表演的那天晚上，看了你和丹尼斯的节目，想邀请你和丹尼斯在生日会上表演，小孩子会喜欢的。爸爸说他会付你薪水。"

"哇！太棒了！"我回答。多好的主意啊。

然后我又想起一件事来。

我立即跳起来，走到椅子边拿起丹尼斯的头。"有一个小麻烦。"我泄气地说。

玛歌松开头发，扮了个鬼脸："丹尼斯的头？为什么你要弄掉他的头？"

"我没有，"我回答，"是它自己掉下来的。我一直用丹尼斯，他的头每次都会掉下来。"

"唉，"玛歌失望地叹了一声，"只有一个头，看着怪怪的。我想，小孩子可不会喜欢看着它掉下来。"

"我也这样想。"我同意道。

"会把他们吓坏，"玛歌说，"嗯，会让他们做噩梦，以为自己的头哪天也可能会掉下来。"

"丹尼斯已经旧得不行啦，爸爸答应过，给我买个新的，但还没有找到合适的。"

"真不巧，"玛歌回答，"本来你可以为小娃娃们好好表演一场的。"

我们又听了几首甲壳虫乐队的歌曲，然后玛歌就得回家了。

她走了没多久，我听到前门响了一声。

"嗨，艾米！艾米——你在家吗？"爸爸的声音从客厅传过来。

"来了！"我应道。我来到屋外，爸爸正站在门口，胳膊下夹着一个大纸盒，脸上笑眯眯的。

他伸手将纸盒递给我。"不是生日也快乐！"他大声说道。

"爸爸！会不会是……"我大叫一声，接过纸盒就动手撕，"太好了！"一个新的木偶！

我小心地将他从纸盒里拿出来。

这个木偶有一头波浪起伏的棕色卷发，画在木头脑袋上。我仔细端详他的脸，这张脸给人的感觉有点儿异样，似乎具有丰富的感情。他的眼睛是明亮的蓝色——不像丹尼斯退色得那么厉害。涂得鲜红的嘴唇向上翘，露出神秘而古怪的笑容。他下唇一边有个小缺口，所以和上唇不太对得上。

我把他从盒子里拿出来，木偶好像在凝视我的眼睛。那双眼睛亮了一下，笑意更深了。

一刹那间，我毛骨悚然。为什么这个木偶好像在嘲笑我？我一片茫然。

我把他举到面前，上上下下看个仔细。他身穿一套灰色的双排扣西装，里面露出白色的衬衣领子。领子是钉在他脖子上的，下面并没有衬衣，只是将他的木头胸膛涂成了白色。

他的两条腿瘦骨支离，悬在身上晃晃荡荡的，上面粘着一对大大的棕色皮鞋。

"爸爸——他真好！"我叫道。

"我在一个典当行里找到的，"爸爸说着，拿起木偶的手，假装跟他握手，"你好吗，斯拉皮？"

"斯拉皮？是他的名字吗？"

"店里的伙计是这么叫他的。"爸爸说。他抬起斯拉皮的胳膊，查看他的外套，"不知道为什么那人把斯拉皮卖得那么便宜，简直像白送一样。"

我把木偶翻过来，找他背上控制嘴巴活动的细绳。"这个木偶真棒，爸爸，"我亲了亲爸爸的脸颊，"谢谢你。"

"你真的喜欢他吗？"爸爸问。

斯拉皮笑嘻嘻地看着我，盯着我的眼睛，好像也在等答案。

"喜欢，他真是呱呱叫！"我说，"我喜欢他那双严肃的眼睛，看上去像真的一样。"

"他的眼睛会动呢，"爸爸说，"不像丹尼斯只是画上去的。他的眼睛不会眨，但是会左右看。"

我把手伸进木偶的后背。"怎么才能让他的眼睛动呢?"我问。

"那个伙计做给我看了，"爸爸说，"很容易。首先你抓住控制嘴巴的细绳。"

"抓住了。"我告诉他。

"然后，你把手往上伸，伸进木偶的脑袋里。那儿有一个小小的调拨键，按下去，然后你往哪边拨，他的眼睛就往哪边转。"

"好的，我试试看。"我说。

我慢慢将手从木偶的后背往上伸，越过脖子，伸进脑袋里。

指尖碰到一团软绵绵的东西，我顿时停下来，哇哇大叫。

软绵绵、热乎乎的东西。

他的大脑！

5 烂三明治和怪字条

"噢——"我反胃地叫了一声，飞快地将手缩了回来。

手指上还留着那种烂糊糊、温吞吞的感觉。

"艾米——怎么了?"爸爸叫道。

"他的……他的大脑……"我说不出来，觉得胃里在翻腾。

"嗯? 你在说什么?"爸爸从我手里拿走木偶，翻过去，把手伸进他的后背。

我两只手捂着嘴，看着他伸进到木偶的脑袋里，然后吃惊地一瞪眼。

他费力地掏着什么，随后把手拿了出来。

"哇!"我恐惧地叫起来，"这是什么?"

爸爸仔细查看手里的糊状物，那上面的颜色有绿有紫还有棕。"好像有人在里面留了一块三明治!"他说。

爸爸恶心得脸都挤歪了："全腐烂发霉了，在里面绝对有好几个月！"

"哇！"我捂着鼻子又叫了一声，"真臭！怎么会有人把三明治塞进木偶的脑袋里？"

"这可问倒我了，"爸爸回答，连连摇头，"里面好像还有虫洞呢。"

"恶心！"我们俩同时叫了一声。

爸爸把斯拉皮还给我，忙不迭地到厨房里扔那块恶臭的腐烂三明治。

我听到他跑到污物碾碎器那里，然后是哗哗的水声，他在洗手。过了一会儿，爸爸回到客厅，手里抓着一条擦碗巾擦着。

"也许该好好检查一下斯拉皮，"他建议，"我们可不想再有什么意外惊喜了……对不对！"

我把斯拉皮拿进厨房，将他平摊在餐台上。爸爸认真地检查了木偶的鞋子。鞋子是粘在腿上的，脱不下来。

我托着木偶的下巴，上下活动他的嘴巴，然后又查看了他的木手。

我解开灰色的外套，检查木偶画在身上的衬衫。白色的油彩有几处剥落和碎裂的地方，但大体上还是好的。

"好像一切正常，爸爸。"我报告说。

他点点头，闻闻手指。腐烂三明治的臭味可能没有完全洗掉。

　　"我们最好往他脑袋里喷点消毒液，或者香水之类的东西。"爸爸说。

　　然后，为木偶扣上外套的时候，我看到了一个东西。

　　黄色的东西。外套的口袋里露出了一截小纸片。

　　也许是收据，我想。

　　我把黄色小纸片取出来，发现上面有奇怪的文字，是一种我从来没有见过的语言。

　　我仔细看着那小纸片，慢慢大声读了出来：

　　"Karru marri odonna loma molonu karrano."

　　这是什么意思？我心想。

　　这时，我垂眼看了看斯拉皮的脸。

　　他红色的嘴唇弯曲了。

　　一只眼睛慢慢地眨了一下。

6 精心地排练

"爸……爸……"我磕磕巴巴地喊道,"他……会动!"

"嗯?"爸爸这时又在洗碗槽边洗手,已经是第三次了,"斯拉皮怎么了?"

"他动了!"我叫喊,"他朝我挤眼睛!"

爸爸擦着手来到餐台边:"不是跟你说过了吗,艾米——他不能眨眼,只能转眼珠。"

"不是!"我肯定地说,"他眨眼了。他嘴唇一弯,然后就眨了一下眼睛。"

爸爸皱起眉,双手捧起木偶的头,举到面前细细地看。"嗯……也许眼皮有点儿松了,"他说,"看看我能不能把它弄紧,也许用螺丝刀……"

爸爸的话没说完。

　　因为那个木偶挥动木头手臂，在爸爸的脸上掴了一下。

　　"噢！"爸爸叫了出来，把木偶往餐台上一扔，捂着脸说，"嘿——别这样，艾米！很疼的！"

　　"我？"我高声说，"不是我干的！"

　　爸爸瞪着我，揉着脸颊。他的脸红了一片。

　　"是木偶干的！"我辩解说，"我没有碰过他，爸爸！我没碰他的身体！"

　　"没劲，"爸爸嘟囔着说，"你知道我不喜欢开过头的玩笑。"

　　我张了张嘴，但没说出话来。最好还是闭嘴吧。

　　爸爸当然不会相信，是木偶给了他一耳光。

　　连我自己都难以置信。

　　肯定是爸爸在检查木偶的头时，用的力气太大，把他的胳膊甩了上来，自己却不知道。

　　这是我给自己的解释。

　　还能有什么别的解释呢？

　　我向爸爸说了对不起，然后我们一起，用肥皂给斯拉皮洗了个脸，把他收拾干净，再往他脑袋里喷了些消毒水。

　　他看起来很不错了。

我又谢了爸爸，然后赶快回到自己的房间，让斯拉皮在椅子上和丹尼斯并排坐好。然后，我打了个电话给玛歌。

"我有新木偶啦，"我兴奋地告诉她，"现在可以去'派对屋'，为小孩子的生日会表演了。"

"太好了，艾米！"玛歌大声说，"现在你只缺节目了。"

她说得对。

我需要笑话，很多笑话。如果想在几十个孩子面前，和斯拉皮一起表演，就需要一个很长的滑稽节目。

第二天放学后，我匆匆赶到图书馆，把能找到的笑话书通通拿出来，带回家好好研究。只要可能在表演时用得上的，我都抄了下来。

晚饭后，本来应该做作业，可是我没有，而是拿着斯拉皮练了起来。我坐在镜子前，看着镜子里面的我和他。

我学着不张嘴把话说清楚，练得非常刻苦，同时还努力练习控制斯拉皮的嘴巴，让他好像在说话一样。

让他动嘴的同时，眼睛也动起来，这很困难。不过练了一阵子后，我就自如多了。

我和斯拉皮一起排练了一些"敲敲门"笑话，小孩子可能会喜欢。

"小兔乖乖，把门开开。"我让斯拉皮说。

"谁呀?"我看他的眼睛,好像真的是在和他说话。

"奥特曼。"

"哪个奥特曼?"

"噢,特慢!还不快开门!"

我把每个笑话都练了又练,一直对着镜子照。我想当一个高明的口技表演者,我要出类拔萃,我手里的斯拉皮,要和莎拉笔下的画一样让人叫好!

我准备了更多的"敲敲门"笑话,还有一些和动物有关的笑话,我认为小家伙们会觉得好玩儿。

我想,到家庭分享夜,先试着表演一下。爸爸看到我手里的斯拉皮那么精彩,一定会高兴的。至少,我可以放心,斯拉皮的头不会掉下来。

我看了看对面的丹尼斯。他看上去很忧伤,一副被人遗弃的可怜相,皱巴巴地待在椅子里,头歪得几乎全贴在肩膀上。

我将斯拉皮摆正,又转身面对镜子练了起来。

星期四晚上,我盼着晚饭快点吃完,好让分享之夜尽快开始。我急着在家人面前和斯拉皮一起表演新节目。

晚餐吃的是意大利面条,我喜欢意大利面条,但杰德总是让我倒胃口。

他太恶心了。他坐在我对面,不停地张大口,露出满嘴嚼烂的意大利面条。

然后他会自鸣得意地哈哈大笑，面条汁顺着下巴往下淌。

晚餐结束时，杰德的脸上、餐巾上、盘子里，全是一塌糊涂的面条汁。

其他人谁都没有注意到。莎拉正拉着爸爸妈妈夸耀她的成绩。

明天就要发成绩单了，莎拉很自信可以拿全A。

我也很自信。自信我肯定拿不到全A。

走运的话，我的数学可以拿到C。最后两次测验我确实考得太糟了。自然科学可能也不太妙，我的气象气球计划失败了，没有交上去。

我吃完意大利面条，用一块儿面包抹干净盘子里剩下的汤汁。

抬头一看，杰德一边鼻孔塞了一根胡萝卜条。"艾米，看我。我是海象！"他笑嘻嘻地叫道并"呃，呃，呃"地叫了几声，两只手掌垂下来搭在一块儿，活脱儿一只海象。

"杰德——不要这样！"妈妈叱道，显出厌恶的表情，"把那东西从你鼻子里拿出来。"

"叫他自己吃掉它，妈妈！"我说。

杰德朝我吐出了橘红色的舌头，是面条汁染的。

"你看你，邋里邋遢的！"妈妈训斥杰德，"去弄干净，快去！动作快点儿！把脸上的汤汁洗干净。"

杰德嘟嘟囔囔，不过还是站了起来，向浴室走去。

"他吃到东西了吗？还是全涂到自己身上去了？"爸爸说着，眼珠一转。爸爸自己的下巴上也有一点面条汁，不过我什么都没说。

"你打断了我的话，"莎拉不耐烦地说，"我正在跟你说地区绘画比赛的事呢，记得吗？我是把那幅花卉送去参赛的！"

"啊，对，"妈妈回答说，"评委给你什么消息了吗？"

我没有听莎拉的回答，分神了，想着自己的成绩会有多糟糕。我强迫自己不去想它。

"嗯……我来洗碗。"我说。

我正要站起来。

猛地却又停住，惊叫一声。我看到一个小小的身影，偷偷溜进客厅。

一个木偶！

我的木偶！

他正爬进房间！

7 痛苦的笑话

我又叫了一声，伸出颤抖的手，指着客厅。"妈……妈！爸爸！"我口吃地说。

莎拉还在说着她的绘画比赛，这时也转过头来，看看大家为什么都大惊失色。

木偶的头从扶手椅背后伸了出来。

"是丹尼斯！"我叫道。

我听到了闷声偷笑的声音，杰德捂着嘴的笑声。

木偶伸出两只手，一把扯下自己的头。而后杰德的头从一件绿色套头毛衣里伸了出来。他还是满脸的面条汁，笑得惊天动地的。

其他人都笑了起来，我没笑。

杰德真的把我吓惨了。

他把毛衣领子拉过头顶，然后将丹尼斯的木头脑瓜塞进领子。

杰德又瘦又小，看上去真像丹尼斯溜进了房间。

"别笑了！"我对家里人大吼一声，"有什么好笑的！"

"我觉得很好笑！"妈妈大声说，"亏他想得出这个主意！"

"机灵鬼。"爸爸附和地说。

"这不是机灵，"我坚决不同意，狂怒地看着弟弟。"谁不知道你是个木头！"我尖声地说。

"艾米，你真的吓坏了。"莎拉指出，"差点儿连牙齿都掉出来！"

"不是的！"我气急败坏地说，"我知道那是丹尼斯……嗯，不是……是杰德！"

这话一出口，大家都看着我笑！我脸上火辣辣的，一定是面红耳赤了。

看到我窘迫的样子，他们笑得更厉害了。

多好的一家人啊，是吧？

我起身走过桌子，一把从杰德手里抢过丹尼斯的头。"不准进我的房间，"我咬牙切齿地对他说，"也不准动我的东西。"我重重地跺着脚，走回房间放好木偶的头。

"就是开个玩笑嘛，艾米。"莎拉在我身后叫道。

"对啊，只是个玩笑。"杰德调皮地学舌道。

"哈……哈！"我回头朝他们干笑一声，"真好笑！"

家庭分享夜开始的时候，我已经消了气。我们在客厅里，各自坐在自己平时的位置上。

妈妈自告奋勇第一个来。她讲了一件工作时遇到的滑稽事。

妈妈在市区一家女装精品店工作。她说，有一个大块头女人跑到店里来，非要试小号衣服不可。

那女人把她试的每一件衣服都撑破了——然后全部买了下来。"不是买给我自己的，"女人解释说，"是给我妹妹的!"

我们都笑了。不过，我很意外，妈妈竟然会讲这样的故事。因为妈妈比较胖，她对这个很在意。

在意的程度，跟爸爸对他的秃顶有一拼。

爸爸是下一个分享的。他拿出吉他，令我们都痛苦地呻吟起来。爸爸自以为是个了不起的歌手，可是，他其实跑调跑得和我一样远。

他喜欢唱所有上世纪六十年代的民歌，这些歌曲可能有什么含义，但莎拉、杰德和我压根儿听不出来。

爸爸笨手笨脚地拨着弦，唱起了歌，好像说的是再也不在玛吉的农场里干活什么的，至少我猜他唱的是这个。

大家一起鼓掌喝彩，不过爸爸心里清楚，我们不是那么真心的。

下一个是杰德。但他一口咬定，他已经分享过了。

"假扮成丹尼斯的样子——就是这个。"他说。

没人想和他争辩。"该你了，艾米。"妈妈在沙发上靠着爸爸说。爸爸摆弄他的眼镜，然后又戴了上去。

我拿起斯拉皮，架在膝盖上，感觉有点儿紧张。我希望有个好表现，希望他们欣赏我新的滑稽节目。

我已经练了一整个星期了，各个笑话都已经滚瓜烂熟。但是，当我把手伸进斯拉皮的后背，找到细绳子的时候，心还是有点儿发抖。

我清了清嗓子，开始表演。

"各位，这是斯拉皮。"我说，"斯拉皮，说句话吧，说'你好'给我的家人听听。"

"说'你好'给我的家人听听。"我假装斯拉皮说，同时操纵他的眼睛骨碌乱转。

他们都轻声笑了。

"这个木偶比原来的好得多！"妈妈评论说。

"不过玩木偶的人还是老样子。"莎拉不留情面地说。

我瞪她一眼。

"开玩笑的！开玩笑的！"姐姐说。

"我觉得这个木偶很臭屁。"杰德插话道。

"别吵艾米，"爸爸喝道，"接着来，艾米。"

我又清了清嗓子，突然间觉得喉咙很干。"斯拉皮和我准备讲几个'敲敲门'笑话。"我宣布。我让斯拉皮转

过脸来，和我面对面。"小兔子乖乖，把门开开。"我说。

"开什么开！"刺耳的声音回答道。

斯拉皮转过去，冲着妈妈。"嗨——别把沙发坐塌了，肥婆！"他粗声粗气地说，"为什么你不放过炸薯条，偶尔吃点色拉就算了？"

"啊？"妈妈震惊地张大嘴，"艾米——"

"艾米，这不可笑！"爸爸恼怒地叫道。

"你又是怎么回事，秃子？"斯拉皮吆喝道，"那个就是你所谓的脑袋吗——还是你在脖子上孵着一颗鸵鸟蛋？"

"够了，艾米！"爸爸跳起来，喝道，"别说了——马上住嘴！"

"可是……可是……爸爸……"我语无伦次。

"为什么不在你脑瓜上开一个洞呢？那就可以当保龄球了。"斯拉皮朝爸爸嘶叫。

"你的笑话太可怕了！"妈妈喊道，"让人难堪，完全是侮辱人。"

"这不是幽默，艾米！"爸爸发怒了，"羞辱别人不是幽默。"

"可是，爸爸……"我回答，"根本不是我说的！不是我！是斯拉皮！真的！我没有说！我没有！"

斯拉皮抬起头，红嘴唇咧开了，蓝色的眼睛里亮光一闪。"我有没有忘记说你们全都是丑八怪？"他问。

8 第一次被冤枉

所有人都叫出声来。

我站起身，将斯拉皮脸朝下，摔在地上。

我两腿发抖，全身都在打战。

这是怎么回事？我问自己，我没有说那些话，真的没有。

但斯拉皮是不会说话的——他会吗？

当然不会，我知道。

这又意味着什么呢？意味着我粗鲁地羞辱了爸爸妈妈，而自己却完全不知道！

爸爸妈妈并肩站着，气呼呼地看着我，追问我为什么要侮辱他们。

"你真以为这样很好笑？"妈妈问，"你有没有想过，叫我肥婆会伤我的心？"

杰德摊开手脚躺在房中央，像白痴一样咯咯笑个不

停。他还以为这事很有趣呢。

莎拉盘腿坐在墙边，摇着头，黑发落下来垂在脸上。"你捅娄子了，"她小声说，"你是怎么搞的，艾米?"

我望着爸爸妈妈，两手握拳，止不住全身的颤抖。

"你们要相信我!"我高声地说，"我没说那些话! 真的没有!"

"哎，没错，都怪斯拉皮这个大——坏蛋!"杰德嬉皮笑脸地插话。

"都别吵了!"爸爸扬声喝道，脸涨得红红的。

妈妈捏了捏他的胳膊。爸爸要是太兴奋，或者太生气，妈妈都不赞成。我猜她是怕他会爆炸。

爸爸双手抱胸，运动衫的胸前有一块汗渍，脸还是涨得通红。

屋里突然静下来。

"艾米，我们不会相信你。"爸爸语气平静地说。

"可是……可是……可是……"

他举起一只手，堵住了我的话。

"你是个讲故事的高手，艾米，"爸爸继续说，"你能编出精彩的玄幻故事和神话故事，但这一次我们不相信，我很遗憾，这个木偶自己开口讲话的故事，我们不会相信。"

"但他确实讲话了!"我喊道，眼看就要失声痛哭。我紧紧地咬着嘴唇，极力把眼泪忍回去。

爸爸摇摇头："不，斯拉皮没有侮辱我们，那些话是你说的，艾米，是你。现在，我要求你向妈妈和我道歉，然后，拿上木偶回自己房间去。"

叫他们相信我，是不可能的，绝不可能。连我自己都不知道信不信好。

"对不起，"我低声说，还在忍着泪，"真的，我很抱歉。"

我难过地叹了口气，从椅子上拿起斯拉皮。我挽着他的腰，他的胳膊和腿吊在空中，晃晃荡荡的。"晚安。"我说了一句，慢慢向自己房间走去。

"还有我没说呢?"莎拉在后面问。

"分享之夜结束了，"爸爸粗声答道，"你们两个……走吧，让妈妈和我安静一会儿。"

听得出来，爸爸真的心烦意乱。

我没有怪他。

我走进卧室，关上身后的门。然后我提起斯拉皮，两手叉住他的腋窝，将他的脸举到面前。

他的眼睛好像在凝视着我的脸。

他鲜红的嘴唇向上翘，那笑容令人生厌，突然间充满了邪恶与嘲弄的味道。

好像他在嘲笑我。

这当然是不可能的，过于丰富的想象力捉弄起我自己

来了，我是这样想的。

可怕的捉弄。

斯拉皮终究不过是一只木偶，是一块涂了油彩的木头罢了。

我直视那双冷冰冰的蓝眼睛。"斯拉皮，你看看，今晚你给我惹了多少麻烦。"我对他说。

星期四的晚上很糟糕，糟糕透顶。

但其实，星期五还要坏得多。

9 彩色大泥潭

首先，我在学校的餐厅里失手摔了托盘。托盘湿湿的，一下子就从手里滑了出来。

盘子纷纷在地上摔得粉碎，我的午餐溅了自己一鞋子，还是新买的运动鞋呢。餐厅里的同学们又是拍手又是欢呼，朝我起哄。

我尴尬吗？那还用说。

下午晚些时候，成绩表下来了。

莎拉嘴里唱着歌，笑逐颜开地回到家。她最热衷的事，就是追求完美。这回她的成绩单够完美的——全A。

她非把成绩单拿给我看不可，而且还给了三次。另外，她给杰德也看了三次。我们不得不每看一次，就夸她一次，夸她了不起。

我这样想莎拉是不公平的。

她欢天喜地，情绪高涨，这是应该的。她读书成绩优秀，她画的花还在地区绘画大赛上获得了一等奖。

因此，我不该因为她围着屋子跳舞、放声歌唱，而对她不满。

她不是故意地一提再提，也不是故意让我感觉自己像个没用的鼻涕虫。我的成绩单有两个C，一个是数学，一个是自然科学。

我从来没有得到过这么差的成绩，这不是莎拉的错。

所以我尽可能地克制着心中的忌妒，在她第十次告诉我绘画得奖的时候，没有扼住她的脖子。

忍得好艰难噢。

成绩单上，最糟糕的部分不是那两个C，而是卡尔森小姐写在底下的一小段评语：

"艾米没有完全发挥自己的能力，如果更努力一点，她的成绩会好得多。"

我觉得应该不准老师在成绩单上留言。打个分已经足够了。

我想编个故事，在爸爸妈妈面前解释这两个C。我想告诉他们，班里每个同学的数学和自然科学成绩都是C。"卡尔森小姐没时间给我们的试卷打分，所以全班一律给C——这才公平。"

这故事不错，但还不够好。

爸爸妈妈不会信的。

我在房间里走来走去，想编个更好的。过了一会儿，我发现斯拉皮正盯着我看。

他坐在椅子上，在丹尼斯的旁边，满脸笑容，盯着我。

斯拉皮的眼珠没有跟着我转——对吧？

我背上凉飕飕地直冒冷气。

可是，他的眼睛确实很像一直在看着我，我走到哪里，眼珠就转到哪里。

我一个箭步冲到椅子边，将斯拉皮反过身来，背朝着我。我没有时间想这个鬼木偶的事，爸爸妈妈随时都会下班回来，我需要一个像样的理由，解释我可悲的成绩单。

我想出来了吗？没有。

爸爸妈妈不高兴了吗？是的。

妈妈说，她要帮助我，让我更有条理。爸爸说他要帮我解决数学上的疑难问题。他上一次辅导我的数学之后，我差一点不及格！

就连杰德——这个不折不扣的大呆瓜——成绩单也比我的好看。低年级的学校不评分，老师只写一个评语。

杰德的评语说，他是一个好孩子，是一个很优秀的学生。那老师一定是有病！

我看着餐桌对面的杰德。他又张大嘴，向我展示满口

烂糊糊的豌豆。

恶心!

"你臭。"他对我说,完全没头没脑的。

有时候我在想,为什么世界上会有家庭这个东西呢。

星期六早上,我打电话给玛歌。"我来不了,"我叹着气告诉她,"爸爸妈妈不让。"

"我的成绩也不太好,"玛歌回答,"卡尔森小姐在成绩单底下加了一段评语,说我上课的时候话太多了。"

"卡尔森小姐的话才太多呢。"我愤愤不平地说。

一边和玛歌聊天,我一边看着穿衣镜,心想,我和莎拉实在太相像了,为什么非得弄得像双胞胎一样呢?要不我去理个短发,或者刺个文身。

我想不太清。

爸爸妈妈不让我去玛歌家,我很生气。

"真糟糕,"玛歌说,"我还想跟你说说,带斯拉皮去我爸爸那里表演的事呢。"

"我知道,"我沮丧地说,"可是,没写完自然科学课的作业,我哪儿都不能去。"

"你还没交啊?"玛歌说。

"我忘记了,"我承认,"我做了手工的部分——做了两次呢。还有报告没写。"

"呃，我跟你说过的，下个星期六，爸爸要为十几个三岁小孩举办生日会，"玛歌说，"他希望你和斯拉皮去招待一下。"

"我一写完自然科学课的报告，就开始排练，"我许诺，"叫你爸爸别担心，玛歌，跟他说我会表演得很好。"

没聊几分钟，妈妈就嚷嚷上了，要我挂电话。我又聊了一会儿——直到妈妈发出第二次吼叫，我才跟玛歌说"再见"，挂断了电话。

一整个早晨和上午，我都趴在电脑前，终于写完了自然科学课的报告。

这可不容易。杰德三番五次地跑进我房间，求我跟他一块玩任天堂。"就一盘！"我没办法，只好一次又一次地把他往外赶。

终于，报告完成了。我打印出来，又读了一次，自我感觉写得相当棒。

现在，只差一个漂漂亮亮的封面了。我心想。

我想找一把彩笔，做一个鲜艳的封面，但我的彩笔全都干了。

我把干彩笔往垃圾桶一扔，直奔莎拉的房间，她有满满一抽屉的水彩笔。

莎拉和一大帮朋友去逛街了。完美小姐星期六可以出去，想玩什么就玩什么。因为她各方面都拔尖。

我知道，借几支水彩笔，她是不会介意的。

杰德在她门口拦住了我。"下盘国际象棋！"他苦苦纠缠，"就一盘！"

"不行，"我按着他的脑瓜，将他从面前拨开，那卷卷的红头发摸起来真软，"一下国际象棋我就被你杀死，而且我还有作业没做完呢。"

"你干吗进莎拉的房间？"他问道。

"不关你的事。"我说。

"你好臭，"他说，"你比以前臭两倍，艾米。"

我没理他，走进莎拉的房间去找水彩笔。

我花了大约一个小时做封面，画满了不同颜色的分子和原子，卡尔森小姐一定会很欣赏。

我刚弄完，莎拉就回来了，拎着一个大购物袋，里面塞满了在"香蕉共和国"品牌店买的衣服。

她拿着袋子回房间。"妈妈——快来看看我买了什么。"她喊道。

妈妈来了，手里拿着一沓洗干净的毛巾。

"我也看看，好吗？"我跟着她们往莎拉的房间走。

但是，莎拉突然在门口站住不动了。

袋子从她手里跌到地上。

一声尖叫从她嘴里发出。

妈妈和我挤在她身后，往房间里面瞧。

一塌糊涂！

有人翻倒了十多个颜料罐。红的、黄的、蓝的，莎拉的白地毯上泼满了各种各样的颜色，就像一个彩色的大泥潭。

我吃了一惊，连连眨眼，真不敢相信自己的眼睛！

"怎么会这样！"莎拉尖叫个不停，"怎么会这样！"

"地毯全完啦！"妈妈说着，踏进房中一步。

空颜料罐东倒西歪，满房间都是。

"杰德！"妈妈怒吼一声，"杰德——快过来！"

我们回头，看到杰德就在我们身后。"用不着大喊大叫的。"他不紧不慢地说。

妈妈气恼地眯起眼，盯着弟弟。"杰德——你怎么能做出这种事？"她从牙缝里挤出一句话。

"什么？"他无辜地仰脸看着她。

"杰德——不准撒谎！"莎拉厉声说，"是你干的吗？你又进我的房间了？"

"没有！"杰德摇头否认，"我今天没进过你的房间，莎拉，压根儿没有，不过，我看到艾米进了，她还不肯告诉我进去干什么。"

10 第二次被冤枉

莎拉和妈妈责备的眼神转向了我。

"你怎么会这样？"莎拉大声谴责，绕过一摊颜料，"你居然做得出这种事？"

"哇！等等！我没有！我没有！"我急切地喊道。

"我问过艾米进来干什么，"杰德插话，"她说不关我的事。"

"艾米！"妈妈叫道，"真可怕，你吓着我了，这……这种行为很阴暗！"

"没错，是很阴暗。"莎拉跟着说，大摇其头，"我所有的广告颜料，全完了，毁成什么样子了。我知道你为啥这么干，因为你忌妒我得了全A！"

"可是，我没干！"我大声辩解，"我没有！没有！没有！"

"艾米——除了你没有别人了，"妈妈回答说，"如果不是杰德干的，那么……"

"我进来是借水彩笔的！"我叫道，"没干别的，我要用水彩笔。"

"艾米——"妈妈叫我一声，指着那一大摊颜料。

"我拿给你看！"我叫道，"我把借走的东西拿给你看。"

我跑回房间，从桌面一把抓起莎拉的水彩笔。我的双手抖个不停，心脏也怦怦直跳。

他们怎么可以把这么卑鄙的事安在我头上？我问自己。

大家都是这么看我的吗？我就是这样一个魔鬼？

我居然那么忌妒姐姐，连在她地毯上洒颜料的事都做得出来？

他们真以为我有那么疯狂吗？

我跑回莎拉的房间，一手抓一把水彩笔。杰德坐在莎拉的床上，低头盯着黏稠的红色、蓝色和黄色。

妈妈和莎拉站在一摊颜料旁边，看着地毯直摇头。妈妈两手捂着脸，嘴里不停地发出"啧啧啧"的声音。

"看！看到了吗？"我向她们晃着手里的水彩笔，"我进房间就是为了这个！我没撒谎！"

几支水彩笔从我手里掉下来，我弯下腰去捡。

"艾米，今天下午，家里只有我们三个人，"妈妈耐着性子，尽量压低声音保持冷静，但每句话都是咬着牙挤出来的，"你，我，还有杰德。"

"我知道……"我张嘴想说什么。

妈妈举起手，不让我说。"我肯定没做这种可怕的事，"妈妈继续说，"杰德说他也没有。所以……"她拖长了声音，没有说下去。

"妈妈——我没那么变态！"我尖叫，"我没有！"

"还是承认吧，那样你会好受些，"妈妈说，"我们就可以冷静地谈一谈，还……"

"可是我没有做！"我狂怒了。

我气极了，号叫一声，举起水彩笔往地上一摔，转身就冲出莎拉的房间，穿过长长的走廊，跑回自己房间。

我用力撞上门，往床上一扑，放声痛哭，不知道哭了多久。

终于，我爬起身，脸上又是眼泪又是鼻涕，湿漉漉的一片，于是便到衣橱里拿纸巾。

有一件事引起了我的注意。

我不是把斯拉皮转过去，让他背朝我了吗？

现在他正面对我坐着，直直地仰望着我，鲜红嘴唇上的笑意比以往任何时候都深。

我把他转回来了吗？有吗？

不记得有过啊。

还有，斯拉皮鞋子上的是什么？

我用手背擦擦眼睛，抹去眼泪，走前几步，检查他那双大大的皮鞋。

上面是什么东西？

红色、蓝色和黄色的……颜料？

是的。

我吸了一口冷气，两手抓住他的鞋跟，将鞋子举到眼前。

是的。

斯拉皮的鞋子上有一滴滴的颜料。

"斯拉皮——到底怎么回事？"我大声地问道，"怎么回事？"

11 野蛮的握手

爸爸回到家，看到莎拉的房间，差点儿气炸了肚皮。

我真为他担心。他的脸红得像番茄，胸口一起一伏，喉咙里发出可怕的"咯，咯"声。

全家人都聚在客厅，各自坐在家庭分享夜的习惯位置上。只是，这一次不是家庭分享夜，是"批评和处置艾米之夜"。

"艾米，你首先必须对我们说实话。"妈妈说。她在沙发上坐得笔直，两手握得紧紧的，摆在膝盖上。

爸爸坐在沙发的另一头，猛咬下嘴唇，一只手神经质地拍打着沙发扶手。杰德和莎拉坐在墙边的地上。

"我说的就是实话。"我高声为自己辩白，用力坐进他们对面的扶手椅里。头发散到前额上，但我懒得伸手拨回去。白T恤衫的胸前还有没干的泪痕。"请你们听我解释。"我恳切地说。

"好吧,我们听着呢。"妈妈回答。

"我回到房间以后,"我开始说了,"发现斯拉皮的鞋子上面有颜料,而且……"

"够了!"爸爸暴喝一声,从沙发上跳起来。

"可是,爸爸……"我还想继续说。

"够了!"他再说一句,伸出一根手指点着我,"不要再瞎编,年轻的小姐。讲故事的时间结束了,我们不想听你说斯拉皮身上有颜料的胡话。对于今天发生在莎拉房间的罪行,我们想听你好好解释解释。"

"我就是在解释呀!"我痛苦地大喊,"为什么斯拉皮的鞋子上会有颜料?为什么?"

爸爸叹了口气,坐回到沙发上,低声和妈妈说了句什么,她也悄悄地回了一句。

我好像听到他们提到了"医生"。

"你们……你们是不是要带我去看精神病医生?"我怯生生地问。

"你觉得自己需要吗?"妈妈边说边专心地看着我。

我摇摇头。"不。"

"爸爸和我会商量这件事,"妈妈说,"我们会知道怎样做是最好的。"

怎样做是最好的？

他们要我禁闭好几个星期。不准看电影、不准串门、不准逛街，哪里都不准去。

我听到他们在背后商量，要给我找心理辅导员，但当着我的面却一个字都没提过。

整个一星期，我都能感觉到他们在观察我、研究我，好像我是一个怪物。

莎拉对我冷冷的。她的房间已经全部搬空，铺上了新地毯，但她还是没有高兴起来。

就连弟弟杰德，对我的态度也不一样了。他总跟我保持一定的距离，就算在我附近，也是轻手轻脚的，好像我得了重感冒什么的。他不再取笑我，不再说我臭，也不再用各种各样难听的外号叫我。

我是真的怀念那一切，不是开玩笑。

我有什么感受？我觉得很痛苦。

我想得一场病，来一次很严重的胃肠感冒，这样他们全都会可怜我，不再把我当罪人。

有一件好事：他们同意我星期六带着斯拉皮去"派对屋"表演。

现在，不管什么时候，一拿起斯拉皮，我就会有种异样的感觉。我想起他鞋面上的颜料，还有姐姐一塌糊涂的房间。

但我实在无法解释，所以，每天晚上，我还是拿着斯拉皮练习。

我把许多个好笑话串在了一起，这些傻乎乎的笑话，三岁的小家伙们会觉得好玩儿。

我认真看着镜子里的自己。我不动嘴唇地说话，已经比以前进步多了，控制斯拉皮嘴巴和眼睛的技术也越来越熟练。

"小兔子乖乖，把门开开。"我闭着嘴，用斯拉皮的声音说道。

"谁在敲门？"我问。

"阿替。"

"哪个阿替？"我又问。

"阿嚏！谁有纸巾？我感冒了！"

接着，我拉高斯拉皮的头，大大地张开他的嘴，让他打起喷嚏来。他抽动身子，打了一个又一个，一个又一个。

我估计，一定会让三岁小孩儿们乐疯的。

每天晚上，我都在练习这套滑稽节目，非常的努力。

我不知道这节目永远没有表演的机会。

星期六的下午，妈妈把我送到"派对屋"。"加油噢！"她喊了一声，把车开走。

　　我小心地抱着斯拉皮。玛歌在门口等着，一看到我，立即绽开热情的笑容。

　　"来得正好！"她喊道，"孩子们差不多到齐了，这帮小家伙啊，简直是一群小动物！"

　　"嗬，好家伙！"我转转眼珠说道。

　　"他们完全是一群小动物，不过，可爱死了！"玛歌加了一句。

　　她带我穿过曲折的长廊，来到后面的宴会厅。红色和黄色的气球一串一串，盖住了整个天花板。我看到一张装饰得喜气洋洋的餐桌，全是红黄两色，周围一圈椅子，每一张的椅背上都绑着一只飘浮的气球，上面写着客人的名字。

　　小孩子们确实可爱，大部分都穿着小牛仔裤和鲜艳的T恤衫，其中两个小姑娘穿着带褶边的小礼服。

　　我数了数，有十个，全都在疯跑，在宽敞的房间里你追我赶。

　　妈妈们在房间后部，围着墙边的一张长桌，有的坐，有的站，聚在一起谈天说地。有几位妈妈大声向自己的孩子喊话，让他们不要太野。

　　"我在打下手，帮着倒饮料什么的，"玛歌告诉我，"爸爸要你一来就开始表演，让这些小东西安静下来。"

　　我吞吞口水："马上，嗯?"

　　我本来一心盼望着这次的表演，连午饭的吞拿鱼三明治都没心思吃。但事到临头，我却紧张起来，胃里抽动得厉害。

　　玛歌把我领到大厅前面，那儿有一个很低的木台，涂成浅蓝色，这就是舞台了。

　　一看到舞台，我的心更是怦怦直跳，嘴巴里突然觉得干得不得了。

　　我真的有勇气走上那个舞台，在众人面前表演吗？那么多的小孩和妈妈？

　　我一直没想过，妈妈们也会在场。有成年人当观众，让我更加忐忑不安。

　　"为生日会表演的女孩来了。"一个女人的声音说。

　　我转过身，看到一位面带微笑的妈妈，手里牵着一位美丽的小姑娘。小姑娘仰头看着我，一双眸子亮晶晶的。她的头发和我有点儿像，都是直直的黑发，不过比我的更加柔软光滑，还系着一根鲜艳的黄色发带，与她黄色的小小晚礼服和小黄鞋正相配。

　　"她叫艾丽西亚。"那位妈妈介绍说。

　　"嗨，我叫艾米。"我回答说。

　　"艾丽西亚想认识你的木偶。"妈妈说。

　　"他是真的吗？"艾丽西亚问。

　　我不知道怎么回答。"他是一个真的木偶。"我这样

对艾丽西亚说。

"你好吗?"我让斯拉皮说道。

艾丽西亚和她妈妈笑了,她晶莹的蓝眼睛一直看着斯拉皮。

"你几岁?"我让斯拉皮问道。

艾丽西亚伸出三个指头。"我……三……岁。"她告诉他。

"想和斯拉皮握握手吗?"我问。

艾丽西亚点点头。

我将木偶放低一点,伸出斯拉皮的右手。"来吧,"我鼓励艾丽西亚,"握住他的手。"

艾丽西亚握住斯拉皮的手,咯咯笑。

"生日快乐。"斯拉皮说。

艾丽西亚抓着他的手轻轻摇了摇,然后想缩手。

"我们都很想看你的表演呢,"艾丽西亚的妈妈对我说,"孩子们肯定会喜欢。"

"但愿吧!"我回答说,胃里又是一抽,我还是有点儿紧张。

"放手!"艾丽西亚叫了一声,甩着斯拉皮的手,咯咯直笑,"他抓着我不放!"

艾丽西亚的妈妈笑了。"好有趣的木偶!"她握住艾丽西亚的另一只手,"松开木偶的手,宝贝儿,我们要去招呼大家坐下看表演了。"

艾丽西亚用了点力气，往回收手。"他不放开我，妈妈！"她叫着，"他想和我握手！"

艾丽西亚更加用力地一拉，但小手还是被斯拉皮握在手心里，她唧唧地笑："他喜欢我，不想让我走。"

"嗯，"她妈妈看着门口说，"好像詹妮弗来了，我们去和她打个招呼吧。"

艾丽西亚想跟妈妈走，但斯拉皮紧紧拉着她。艾丽西亚已经不笑了。"放手！"她坚决地说。

有几个孩子围了过来，看着艾丽西亚甩斯拉皮的手。

"放开！放开我！"艾丽西亚生气地叫道。

我俯身去看斯拉皮的手，不由得吃了一惊，他居然将艾丽西亚的手整个儿握在了掌心里。

艾丽西亚用力挣扎："啊！他弄疼我了，妈妈！"

更多的孩子围了上来，有的在哈哈笑，其中两个深色头发的小男孩互相看了一眼，眼神里带着惧意。

"求求你……让他放手！"艾丽西亚带着哭腔，不停地挣扎。

我惊呆了，脑子里乱纷纷的，努力想着该怎么办。

是艾丽西亚不小心将手塞进去的吗？

斯拉皮的手不可能真的握住她的手呀——可能吗？

艾丽西亚的妈妈不满地看着我。"请松开艾丽西亚的手。"她不耐烦地说。

"好疼!"艾丽西亚哭喊,"啊! 他用力捏我的手!"

房间里突然肃静下来。孩子们都在瞧,眼睛睁得老大,满脸的困惑。

我不知道该怎么办好,我控制不了斯拉皮的手。

我的心在胸膛里狂跳,想说个笑话缓解一下气氛。"斯拉皮真的好喜欢你噢!"我对艾丽西亚说。

但小姑娘已经抽抽搭搭地哭上了,小小的泪珠儿一颗一颗从她的脸蛋儿上滑下来。"妈妈——叫他不要这样啦!"

我将手从斯拉皮的后背抽出来,捧着他的木手。"放开她,斯拉皮!"我命令。

我想将手指掰开。

但根本掰不动。

"怎么回事?"艾丽西亚的妈妈高声叫嚷,"她的手被卡住了? 你对她干了些什么?"

"好疼!"艾丽西亚哭喊,"啊——他捏得我好疼!"

好几个小孩子跟着一起哭了起来,妈妈们纷纷跑过来安抚他们。

在几个三岁孩子受惊的哭喊声中,艾丽西亚哭得最响。她挣得越用力,木手就握得越紧。

"放手,斯拉皮!"我尖叫着,去扯他的手指,"放手！放手！"

"这到底是怎么回事！"艾丽西亚的妈妈气急败坏，拉扯我的胳膊，"你干了什么？放开她！放开她！"

"啊——"艾丽西亚号啕大哭，伤心极了，"叫他停下！好疼！好疼！"

这时，斯拉皮的头突然向后一仰，大睁着眼睛，张开嘴巴，露出邪恶的笑容。

12 斯拉皮被关进衣橱

我冲进屋，纱门在身后砰的一声。我坐公共汽车到了洛根大街，然后扛着斯拉皮跑了六个街区回了家。

"艾米，表演怎么样？"妈妈在厨房里高声问道，"是不是搭便车回来的？还以为你会等我们去接呢。"

我没有回答，因为哭得太厉害了。我冲过走廊，跑进房间，用力关上了门。

我从肩膀上甩下斯拉皮，狠狠地扔进衣橱里。永远不想再看到他，永远！

瞥一眼镜子，原来我脸都哭肿了，眼睛通红，濡湿的头发一缕一缕地粘在前额上。

我做了几个深呼吸，想让自己不哭。

可怜的小女孩，她的尖叫一直在我耳边回响。斯拉皮终于松开了她，就在他露出那个丑恶的笑脸之后。

但艾丽西亚还是哭个不停。她吓坏了！她的小手又红又肿。

其他小孩子也凑起热闹来，一个个哭哭啼啼，又叫又闹。

艾丽西亚的妈妈怒气冲冲，将玛歌的爸爸从厨房叫了出来，她气得浑身发抖，语无伦次，还说要去告"派对屋"。

玛歌的爸爸很平静地让我走了。他把我带到大门口，说那不是我的错，但孩子们现在很怕斯拉皮，所以我不能再表演了。

我看到玛歌急急地向我跑来，但我转身就冲出了大门。

我从没那么伤心过，完全六神无主了。天上微微地下起了小雨，我看着雨水从路边流进排水沟，恨不得跟着一起流进去。

我倒在床上。

小艾丽西亚的样子一直出现在我眼前，不停地哀叫，满脸泪水，挣扎着要摆脱斯拉皮。

妈妈大力地敲我房间的门。"艾米？艾米……你在干什么？出什么事了？"

"走开！"我哭着说，"别管我。"

但她推开门，走了进来。莎拉跟在后面，一脸不解的

表情。

"艾米……表演不成功吗?"妈妈柔声地问。

"走开!"我呜咽着说,"拜托!"

"艾米,下一次会好的。"莎拉说着,走到床边,将手放在我颤抖的肩上。

"住嘴!"我大叫,"住嘴,完美小姐!"

我不是故意要发脾气,只是一时冲动。

莎拉退了几步,我的话伤害了她。

"告诉我们发生了什么事,"妈妈追问道,"说出来就会舒服些。"

我爬起来,坐在床边,擦擦眼睛,将乱发从脸上拨开。

然后,我的话冲口而出,滔滔不绝地说出了整件事。

我告诉她们,斯拉皮抓住艾丽西亚的手不放,小孩子们全都哭了,那些爸爸妈妈也大惊小怪,吵吵嚷嚷,表演还没开场,我就灰溜溜地走了。

然后我站起来,抱着妈妈,又哭了起来。

她温柔地拍我的头,轻声低语:"嘘……嘘……"从我还是个小姑娘起,她就是这样安慰我的。

慢慢地,我安静下来。

"这事太古怪了。"莎拉摇头说道。

"我有一点担心你,"妈妈握着我的两只手说,"小姑娘的手被卡住了，事实就是这样。你不会真的认为，是木偶抓住她不放吧……是吗？"

妈妈凝视着我，用心看着我的反应。

她以为我发疯了，我知道。她以为我神志不清。

我摇了摇头，心想，还是改口吧，不要再一口咬定自己说的是真的。"嗯，我猜她的手是被卡住了。"我望着地面说道。

"也许，最近还是把斯拉皮收起来的好。"妈妈咬了咬下嘴唇，建议道。

"嗯，你说得对，"我同意，伸手一指，"我已经把他放进衣橱了。"

"好办法，"妈妈回答说，"让他在那儿待一段日子，我想，你花在木偶身上的时间太多了。"

"对，你最好找一个新的兴趣。"莎拉也说。

"这不是什么兴趣！"我没好气地说。

"这段时间就别玩木偶了……好吗，艾米？"妈妈说。

我点点头："我再也不想看到他了。"

我好像听到衣橱里发出一声叹息。但是，当然了，这只是我的想象。

"洗洗去吧，"妈妈说，"洗个脸，然后到厨房来，我给你弄点好吃的。"

"好的。"我顺从地说。

莎拉和妈妈一起出去了。"真古怪，"我听到莎拉小声嘀咕，"艾米变得好古怪。"

晚饭后，玛歌打来了电话。她说这件事让她很遗憾，还说她爸爸并没有责怪我的意思。"他想让你再试一次，"玛歌告诉我，"也许换成大一点的孩子就好了。"

"谢谢了，"我回答，"但我决定把斯拉皮收起来。以后还要不要表演口技，我自己都不知道。"

"今天在生日会上……到底发生了什么事？"玛歌问道，"什么地方出问题了？"

"不清楚，"我说，"我也不太清楚。"

那天晚上，我早早地上了床。关灯之前，我看了衣橱门一眼。它关得紧紧的。

斯拉皮被关得好好的，我心里安定了一些。

很快我就睡着了，睡得又沉又香，连梦都没有。

第二天早晨醒来，我坐在床上揉眼睛。

然后就听到了莎拉愤怒的叫嚷声，从走廊那头传来。

"妈妈！爸爸！妈妈！快来！"莎拉扯开嗓子喊道，"快来看看艾米又干了什么!"

13 第三次被冤枉

我闭上眼睛，听着姐姐的尖叫。

又怎么了？我打了个寒战，又怎么了？

"天哪！"看到衣橱门开了一条缝，我低低地喊了一声。

我的心狂跳起来，下了床，跑到莎拉的房间。妈妈、爸爸和杰德也从房间里出来了。

"妈妈！爸爸！看艾米干的好事！"莎拉尖声嚷道。

"啊，天哪！"我听到爸爸妈妈失声惊呼。

我停在门口，往屋里看去——顿时呆住了。

莎拉卧室的墙！红彤彤一片！

有人用粗画笔，在莎拉房间的四面墙上，写满了巨大的红字：艾米，艾米，艾米，艾米……

"不——"我痛苦地发出长长的哀叫，又伸出两只手，

紧紧摁在嘴巴上，不让自己再叫下去。

我的视线从一面墙换到另一面墙，一遍遍地读着自己的名字。

艾米，艾米，艾米，艾米……

为什么要写我的名字?

我突然间极度恶心，用力地咽着口水，尽力压下反胃的感觉。

我连连眨眼，想眨掉墙上那丑恶的涂鸦。

艾米，艾米，艾米，艾米……

"为什么?"莎拉声音颤抖地质问我。她理了理身上的睡衣，斜靠在橱柜上，"为什么，艾米?"

我这才发现，大家都在看着我。

"我……我……我……"我说不出话来。

"艾米，不能再这样了。"爸爸面色凝重，表情不是生气，而是悲哀。

"我们会帮助你的，亲爱的。"妈妈说。她的眼里全是泪，下巴在颤抖。

杰德穿着睡衣，一言不发，两只手抱着胸口。

"为什么，艾米?"莎拉再次质问我。

"可是……不是我!"我终于憋出了一句话。

"艾米……不要再编故事了。"妈妈轻声地说。

"妈妈……我没做这种事!"我大声辩解。

"问题很严重，"爸爸喃喃地说，搓着胡子拉碴的下巴，"艾米，你知道问题到底有多严重吗？"

杰德伸出两根手指，在墙上的红字上擦了擦。"干的。"他说。

"这说明，字是昨晚很早写下的。"爸爸说着，目光牢牢地盯在我身上，"你知道做这种事有多糟糕吗？这已经不止是恶作剧了！"

我深吸一口气，全身抖得像风中的树叶。"斯拉皮干的！"我冲口而出，"我没疯，爸爸！我没有！你要相信我！是斯拉皮干的！"

"艾米，拜托……"妈妈温柔地说。

"跟我来！"我大喊，"我证明给你们看。我能证明是斯拉皮干的，跟我来！"

我没等他们回答，转身冲出房间。

我冲过走廊，他们沉默不语，跟在后面。

"艾米生病了还是怎么的？"我听到杰德在问爸爸妈妈。

我没有听到他们的回答。

我冲进自己房间，他们急忙跟了上来。

我走到衣橱前，拉开柜门。

"看到没有？"我指着斯拉皮问，"看到了吧？这就是证明！是斯拉皮干的！"

14 没有人相信我

我胜利地指着斯拉皮："看到了吧？看到了吧？"

木偶盘着腿，在柜子的底板上坐着，脑袋挺在窄窄的肩上，好像正朝我们咧着嘴笑。

斯拉皮的左手放在底板上，右手摆在大腿上。

他的右手握着一支粗大的画笔。

刷毛上的红色已经结成了硬壳。

"我告诉过你们，是斯拉皮干的！"我说着往后退开，让他们看得更清楚些。

但他们还是一句话都不说。妈妈和爸爸愁眉不展，连连摇头。

杰德咯咯的笑声打破了沉默。"好傻。"他对莎拉说。

莎拉垂下眼帘，没有答话。

"唉，艾米，"妈妈叹着气，"你真的以为，把画笔塞

074

到木偶的手里，就可以把罪名推给他了吗?"

"嗯?"我不明白妈妈话中的意思。

"你真的以为，我们会相信这个?"爸爸轻声地问，逼视着我的眼睛。

"你以为把画笔放进斯拉皮的手里，我们就会相信是他在莎拉的墙上涂满你的名字?"

"我没有放!"我尖叫。

"他是什么时候学会读书写字的呢?"杰德插话。

"别做声，杰德，"爸爸呵斥道，"这是个严肃的问题，不是开玩笑。"

"莎拉，把杰德带出去，"妈妈下令，"你们俩去厨房吃早餐吧。"

莎拉拉着杰德往门边走，但他又挣开了。"我就不走!"他叫道，"我要看你们怎么惩罚艾米!"

"快走!"妈妈叫着，挥着两只手把他往外赶。

莎拉把他拉出房间。

我一直在发抖，眯着眼睛看着斯拉皮。他的笑容是不是更深了?

我看着他手里的画笔。刷毛上的红颜料越来越模糊，最后我的眼前只有一片红色。

我眨了几下眼睛，转过去面朝爸爸妈妈。"你们真的不相信我吗?"我颤抖的声音轻轻问道。

　　他们摇头。"叫我们怎么相信呢，亲爱的?"妈妈回答。

　　"我们实在不能相信，一个木偶会在莎拉的房间里做出这么可怕的事来。"爸爸补充说，"为什么不跟我们说实话呢，艾米?"

　　"我说的就是实话!"我反驳道。

　　我怎样才能证明自己呢? 怎么办呢?

　　我气恼地大叫一声，甩上衣橱门。

　　"我们还是冷静一点吧，"妈妈柔声鼓励我，"大家都去换衣服，然后吃早餐。等心情好些了，再谈谈这件事。"

　　"好主意。"爸爸答道。但他依然还是紧紧地盯着我不放。他在用心地研究我，就好像以前从来没有见过我。

　　他挠挠光头。"我得为莎拉的房间找个油漆匠，只怕得刷上两层，才盖得住那些红色。"

　　他们转身慢慢走出房间，边走边讨论刷莎拉房间的墙要花多少钱。

　　我站在房中间，闭上了双眼。每一次闭上眼睛，眼前都是一片红色，盖满了莎拉的墙面:

　　艾米，艾米，艾米，艾米……

　　"不是我干的!"我扯开嗓子大吼。

　　我的心跳个不停，转过身来，抓住把手，猛地扯开衣橱门。

我抓住斯拉皮灰外套的肩部，一把将他揪了起来。

画笔从他手中跌落，砰的一声，落在我的光脚旁边。

我愤怒地摇晃这只木偶，摇得他四肢乱甩，头直朝后仰。

然后我将他举起来，我们面对面，眼睛盯着眼睛。

"认了吧！"我高声叫道，盯着他笑嘻嘻的脸，"来呀！承认你干的好事！告诉我是你干的！"

呆滞无神的蓝眼睛看着我。

无知无觉地看着。

空洞地看着。

我们对峙着，谁都没有动。

然后，我惊恐地看到，木头嘴唇分开了，鲜红的嘴巴缓缓张开。

斯拉皮发出轻轻的、邪恶的笑声："嘻嘻，嘻嘻。"

15 我的计划

"去不了，"我闷闷不乐地对玛歌说。我仰躺在床上，话筒按在耳边。"我一整天都不能出门。"

"啊？为什么？"玛歌问道。

我叹了口气："就算告诉你，玛歌，你也不会相信。"

"试试看呗。"她回答。

我决定还是不告诉她。全家人都把我当疯子，为什么还要让我最好的朋友也这样？

"等见面再跟你说吧。"我说。

玛歌没有做声。

过了一会儿，她才说了声："哇。"

"哇？你哇什么？"我问。

"哇，如果你连说都不肯说，事儿一定闹得挺大，艾米。"

"就……就是太古怪，"我不知怎么说才好，"可不可以换个话题？"

她又是好一会儿没吭声。"爸爸接下来又有一个六岁孩子的生日会，艾米，他想……"

"不，对不起，"我飞快地截住她的话，"我把斯拉皮放起来了。"

"什么？"玛歌惊讶地问。

"我把木偶放起来了，"我告诉她，"不玩了，不想再表演口技。"

"可是，艾米……"玛歌不赞成地说，"你喜欢木偶表演，你还说想赚些钱呢，记得吗？爸爸……"

"不，"我坚决地说，"我改主意了，玛歌，很抱歉，告诉你爸爸我很抱歉。我……等见面我再告诉你吧。"

我用力咽咽口水，又加了一句："如果还见得到你的话。"

"听起来，你的心情糟透了，"玛歌轻轻回答，"要我来看看你吗？爸爸应该会同意我去的。"

"我被完全禁闭了，"我难过地说，"不准朋友上门。"

走廊里传来脚步声，也许是妈妈或者爸爸来监视我。电话我也是不能打的。

"得挂了，再见，玛歌。"我小声地说着，挂断了电话。

是妈妈在敲门，我分得出她敲门的声音。"艾米，想谈谈吗?"她隔着门喊。

"不想。"我郁闷地回答。

"讲出真话，你就可以出门了。"妈妈说。

"我知道。"我说。

"那为什么不马上说出真话呢? 今天天气可真好，"妈妈喊道，"别把一整天时间都浪费在房间里。"

"我……我现在不想谈。"我告诉她。

她没再说什么，但我听得出她一直站在外面。最后，她的脚步声终于在走廊里远去了。

我抓住枕头，把脸埋进去。

我想用这个枕头，把全世界都隔开，然后好好思考。

思考。思考。思考。

没有犯的过错，我绝不承认。绝不。

我要想出办法，向他们证明，斯拉皮才是真正的罪魁祸首，我还要证明，我没有发疯。

我必须让他们明白，斯拉皮不是一个普通的木偶。

他是活的，他非常邪恶。

但是，怎样才能证明呢?

我站起来，在房间里走来走去，然后停在窗前，看着前院。

这是一个美好的春日。娇艳的黄郁金香在我窗前的花圃里轻轻摇摆。天空是纯净的蓝色。挺立在院子中间的两棵枫树，已经展开了鲜嫩的新叶。

我深深地吸进一口空气，那么清新，那么甜美。

杰德和几个朋友一起，在人行道上玩轮滑，笑语喧哗，玩得很开心。

我却是一个囚犯，自己卧室里的囚犯。

全都怪斯拉皮。

我从窗前转身，看着衣橱门。我已经将斯拉皮又塞回了衣橱，并且紧紧地关上了门。

我要在你干坏事的时候，当场抓住你，斯拉皮，我暗下决心。

这就是我证明自己没有疯的办法。

我要整夜不睡，我要夜夜不睡，你溜出衣橱的时候，我一定是醒着的，我会跟着你。

我要让大家都看到你做的事。

心情太差了，我思路并不是很清楚。

但有了一个计划，至少会让自己好过一点。

我最后看了一眼衣橱门，然后走到桌边，开始静下心来做功课。

妈妈和爸爸叫我出来吃晚饭。

爸爸在后院烤汉堡，这是春季的第一次烧烤。我喜欢烤汉堡，尤其是烤得焦焦的那种。但这一次我吃得没滋没味。

大概是因为急于抓住斯拉皮，心情绷得太紧。

大家都不太有聊天的兴致。

妈妈在和爸爸聊菜园，聊她想种什么菜。莎拉说了几句她动手在房间里画的壁画。杰德一直在叫苦，玩轮滑摔坏了膝盖。

没有人和我说话。他们总是从桌子的另一边看着我、打量我，好像我是动物园里的动物。

我没等吃甜品就走了。

晚上我一般十点钟睡，但这天才过九点，我就上了床。

我还清醒得很，一心想抓住斯拉皮。

我熄了灯，躺进被窝，在床上睁着眼，盯着天花板上摇动的阴影，等着，等着……

等着斯拉皮溜出衣橱。

我一定是睡着了。

我极力不让自己睡着，但一定是慢慢地睡了过去。

房间里的声音把我惊醒了。

我彻底清醒，抬起头来，竖着耳朵听。

地毯上传来鞋底摩擦的声音，很轻的沙沙声。

一阵寒战从后背往下传，我胳膊上起了一片鸡皮疙瘩。

又有一点动静传来，就在我床边。

我飞快地伸出手去，拧亮了床头灯。

我失声惊呼。

16 夜半黑影

"杰德——你在这儿干什么?"我尖叫。

他站在房间中央,直眨眼睛,睡裤的一条腿卷了上去,一侧的红发被压得平平的。

"你跑到我房间来干什么?"我喘着粗气问。

他看着我:"嗯?你干吗朝我大吼大叫?是你叫我来的呀,艾米。"

"我……我什么?"我口吃地问。

"你叫我,我听到的,"他揉着眼睛,打了个哈欠,"我睡着了,你把我叫醒了。"

我下床站了起来,两条腿直发软,抖个不停。杰德真的把我吓坏了。

"我也睡着了,"我告诉他,"没有叫过你。"

"你叫了,"他坚持说,"你叫我到你房间来。"他弯腰去拉裤腿。

"杰德，我明明是被你吵醒的，"我回答说，"怎么可能是我叫你？"

他抓抓脑袋，又打个哈欠："你的意思是说，我在做梦？"

我仔细地看着他。"杰德……你是不是想溜进我的房间搞鬼？"我严厉地问。

他挤眉弄眼，想做出问心无愧的样子。

"是不是？"我问道，"你是不是想到衣橱里去拿斯拉皮，然后干坏事？"

"不是！"他大声否认，往外走去，"不是跟你说过了吗，艾米，我以为你在叫我，没别的。"

我紧盯着他，看他到底有没有说真话，然后又四处看了看，没发现房间有什么异常。丹尼斯在扶手椅里待着，头摆在自己的膝盖上。

衣橱的门还关着。

"就是做了个梦，没别的，"杰德又说，"晚安，艾米。"

我也向他道了晚安："很抱歉，我态度不好，杰德，今天我过得很不愉快。"

我听着他走回自己房间。

猫咪把头伸进我房间，眼睛像金子一样闪闪发光。

"睡觉去，乔治，"我小声说；"你也去睡，好吗？"它乖乖地转过身，走了。

我关掉床头灯，重新躺下。

杰德说的是实话，他和我一样糊涂了。

眼皮突然沉重无比，好像压了一百磅的东西在上面。我打了一个大大的哈欠。

好困。枕头又松软又暖和。

但我不能睡着。

我必须保持清醒，必须等斯拉皮有所行动。

我又睡着了吗？不太清楚。

很响的咔嗒一声，让我陡地瞪大了眼睛。

我抬起头，正好看到衣橱的门打开了。

房间笼罩在黑暗中，窗户都不透一丝光。柜门黑糊糊一片，慢慢，慢慢地滑开。

我的心开始扑通扑通地跳动，嘴巴里突然像棉花一样干燥。

柜门无声无息，缓缓打开。

一声轻微的咔嗒声。

昏黑的柜门后面，探出一个黑影。

我睁大眼睛看着它，一根头发丝都不敢动。

门又响了一声。

黑影静悄悄地再走一步，出了衣橱。一步，又一步，走过我的床，来到房门边。

斯拉皮。

太好了！

虽然周围昏暗无光，我还是看得到他圆溜溜的硕大头颅，看到他瘦骨嶙峋的胳膊在身体两侧晃荡，每走一步，木头手掌都轻轻抖动。

沉重的木鞋滑过地毯，他拖拉着一双没有骨头的瘦腿，每一步都摇摇欲坠。

像个稻草人，我满怀恐惧地想。

他走路就像稻草人，因为他没有骨头，没有一根骨头。

他全身起伏摇摆，鬼鬼祟祟地行动。

我一直按兵不动，看着他颤颤巍巍地走出门，到了走廊上。这时，我立即从床上一跃而起。

我深吸一口气，憋在胸中。

然后，蹑手蹑脚，于黑暗中尾随在他身后。

来吧！我对自己说，开始吧！

17 第四次被冤枉

我走到门边，先探出头，向走廊里张望。妈妈在她卧室门外留着一盏小夜灯，通宵不灭，昏黄的光笼罩在走廊的那一头。

往亮处看去，只见斯拉皮悄无声息，摸向莎拉的房间。他的一双大鞋在地毯上又拖又拽，身子一伸一屈，木头大巴掌几乎拖在地面上。

我胸口发疼，这才想起那口气还憋着没吐，于是便小心翼翼，尽可能安静地嘘出一口长气。然后，我又深深地往里吸了一口气，踏进走廊，跟在斯拉皮身后。

这一刹那，我非常想大声召唤："爸爸！妈妈！"

他们会从房间里冲出来，看到斯拉皮站在走廊中间。

可是，不行。

现在还不能叫。我要看看斯拉皮到底想去哪里，我想知道他有什么企图。

我走了一步，地板在光脚下发出嘎吱一响。

他听到了吗？

我后背紧贴墙面，恨不得将自己压成黑暗中的一张薄片。

我透过幽暗的灯光，紧紧地盯着他。他还在无声无息地往前蹭，每拖一步，肩膀都扯起来，又压下去。

来到莎拉门前，他突然转身。

我的心跳骤然停了一下。

我伏下身，躲进浴室。

他看到我了吗？

他转身是因为发现我了吗？

我闭上眼睛，等着，听着。

准备着听到他拖拖拉拉走回头的声音，听到他转身直奔我过来的声音。

没有。

我艰难地吞吞口水，嘴里好干。腿抖得像筛糠，我扶着墙稳住身子。

外面还是一片寂静。

我壮起胆子，慢慢地，慢慢地，将头伸进走廊。

没人。

我向黄色灯光中的莎拉房间看去。

没有人站在那儿。

他已经潜入莎拉的房间，我对自己说。他正在莎拉的房间里干坏事，这些坏事会算在我头上。

这一次你不会得逞，斯拉皮！我暗暗发誓。

这一次你跑不掉了。

我紧紧挨着墙，静悄悄地顺着走廊往前走。

我停在莎拉门口。

夜灯就插在莎拉房门对面，这儿的光比较亮。

我往她的卧室张望，看到那幅没完工的壁画。画的是海边风光：有海水，大片的黄色沙滩，上空是飞翔的风筝；角落里，孩子们在用沙子建城堡。这壁画几乎覆盖了整面墙。

斯拉皮在哪里？

我往房间里走了一步——看到了他。

他正站在她的画桌前。

我看到，他的木头大手摸索着桌上的绘画工具，然后抓住了一支画笔。

他拿着画笔比比画画，好像是在空气里模仿绘画的动作。

然后我看到他拿笔在颜料罐里蘸了一下。

斯拉皮向壁画走了一步，又一步。

他停下来，欣赏壁画。

接着，高高举起手中的画笔。

我就是在这个时候冲进去的。

木偶在壁画前扬起画笔的一瞬间，我朝他扑了过去。

我一只手抓住画笔，另一只手抱着他的腰，把他往后拉。

木偶两腿乱蹬，还想用两只拳头捶我。

"嗨——"一个声音惊叫。

灯亮了。

斯拉皮软绵绵地搭在我胳膊上，耷拉着脑袋，四肢无力地悬空。

莎拉坐在床上看着我，惊恐万状。

我看到，她的眼睛盯在我手中的画笔上。

"艾米——你在干什么?"她喊道。

然后，不等我回答，莎拉放开喉咙大叫起来："妈妈! 爸爸! 快来! 她又来了!"

18 我不是疯子

爸爸第一个冲了进来，一边还在理着睡裤。"怎么了？出什么事了？"

妈妈紧跟着也来了，一边眨眼一边打哈欠。

"我……我从斯拉皮手里抢下来的，"我结结巴巴地说着，举起画笔，"他……他想破坏这幅壁画。"

他们看着我手里的画笔。

"我听到斯拉皮偷偷摸摸从衣橱里出来，"我直喘粗气，解释道，"我一直跟着他，进了莎拉的房间。我抓住了他，他差一点……差一点干了件大坏事。"

我转身看着莎拉："你看到了斯拉皮……对不对？你看到他了吧？"

"嗯，"莎拉说着，依然坐在床上，抱着两条胳膊，"我是看到斯拉皮了，你手里拿着他。"

木偶挂在我胳膊上，头几乎垂到地面。

"不是!"我朝莎拉大叫，"你看到他溜进你房间……对不对? 所以你才把灯打开，不是吗?"

莎拉眼睛一转。"我看到的是你走进我房间，"她回答，"你拿着木偶，艾米，你手里拿着木偶……还有画笔。"

"可是……可是……可是……"我急得说不出话来。

我的眼睛轮流地看着他们每一个人。他们也在看着我，那样子就好像我刚驾着飞碟降落在地球上。

全家没有一个人相信我。没有。

第二天早上，我去吃早餐，妈妈刚刚放下电话。"你今天穿短裤去学校吗?"她打量着我的装扮问道。我穿的是橄榄绿的短裤和红色无袖T恤衫。

"电台说今天会很热。"我说。

杰德和莎拉已经坐在桌边。俩人捧着盛有麦片粥的碗，眼睛从碗边上抬起来看我，但谁都没有和我说话。

我自己倒了一杯葡萄汁。全家就我一人不爱喝橙汁，我想，我确实是怪人一个。

"你和谁通电话呢?"我喝了一大口，向妈妈问道。

"呃……帕尔默医生的助手。"她迟疑地回答说，"你的嘴唇染了紫色。"她伸手指指我说。

093

我用餐巾擦去唇上的葡萄汁。"帕尔默医生？她是心理医生吧？"我问。

妈妈点点头。"我想约今天，但她星期三才能见你。"

"可是，妈妈……"我想反对。

妈妈一只手指按在嘴唇上："嘘——这事已经决定了。"

"可是，妈妈……"我还在说。

"嘘——就跟她谈一次话，艾米。你会喜欢的，你会发现有用的。"

"嗯，好吧。"我低声说。

我看看莎拉和杰德。他们都垂下眼睛，看着麦片碗。

我叹了一口气，将果汁杯放进洗碗池。

我知道这意味着什么？这意味着，在星期三到来之前，我必须向全家人证明，我不是个疯子。

在学校的餐厅里，玛歌缠着我，要我告诉她出了什么事。"为什么你昨天在房间里关了一天？"她问道，"说呀，艾米……老实交代。"

"没什么大事。"我骗她说。

说什么也不能告诉她。

我可不想让这事到处传播，让学校里人人都知道：艾米·克雷默认为她的口技木偶是活的。

我不想让大家窃窃私语议论我，用家里人那种眼光看着我。

"爸爸想知道，你有没有改变主意，"玛歌说，"如果你想带斯拉皮去表演，就……"

"不，算了！"我打断她，"我把斯拉皮放起来了，他就在衣橱里待着，永远别想出来！"

玛歌瞪大眼睛："好吧，好吧，哇，那也不用对我这么凶吧。"

"对不起，"我立即说，"这段时间真够我受的。这个，要不要？"我把妈妈包好的杏仁巧克力蛋糕递给她。

"谢谢。"玛歌意外地说。

"再见。"我说着，将午餐袋揉成一团，扔进垃圾箱，急急忙忙地走了。

那天晚上，我待在房间里，静不下心来做作业，总是看日历。

这是星期一，我只剩下两个晚上的时间，来证明自己没有疯，坏事都是斯拉皮干的。

我猛地合上历史书。今天晚上，想看得进《萨姆特要塞之战》是不可能的。

我在房间里走来走去，想啊，想啊，用力地想。但什么都没想出来。

我能怎么办?

怎么办?

过了一阵,我想得脑袋好像都快要裂了。我伸出两只手,用力扯自己的头发。

"啊——"我发出心急如焚的号叫,还带着愤怒和沮丧。

也许把斯拉皮扔掉就行了,我心想。也许应该把他丢出去,丢到垃圾桶里。

这可以解决一切问题。

这个想法令我的心情好了一点。

我转过身,向衣橱走了两步。

就在这时,门把手慢慢地动了起来。我停下来,目瞪口呆地看着。

我在惊骇中,眼睁睁地看着衣橱的门打开了。

斯拉皮走出来。

他拖泥带水地走过来,停在我面前几英尺的地方。

他蓝色的眼睛朝上看,盯着我,脸上的笑容越扯越大。

"艾米,"他咝咝地说,"你和我该聊聊了。"

19 木偶的奴隶

"艾米，现在，你是我的奴隶。"斯拉皮说。他恶狠狠的话语嘶哑刺耳，冷酷无情。这诡异的嗓音让我直打冷战。

我呆呆地望着他，答不上话。

他瞪着那双蓝玻璃一般的眼睛和咧着红嘴唇的狞笑。

"你读出了那段古老的咒语，让我有了生命，"木偶压低嗓门说，"现在，你必须为我效忠，你要听从我的命令。"

"不！"我终于憋出话来，"不要！求求你……"

"是的！"他喊道，笑嘻嘻的木头脑袋一上一下，不停点头，"是的，艾米！你是我的奴隶！永远是我的奴隶！"

"我不……不是的！"我语无伦次，"你不能让我……"我的声音堵住了，我的腿成了橡胶做的，颤颤悠悠，膝

盖直打弯，随时都会摔倒在地。

斯拉皮举起一只手，抓住我的手腕。木手指冰凉冰凉，渐渐收紧。

"放老实些，听我的话——从现在开始，"木偶小声说，"不然……"

"放开我！"我大叫，拼命把手往回抽，但他抓得太紧了，"不然怎么样？"我问。

"不然我就毁掉你姐姐的壁画。"斯拉皮回答道。他脸上画出来的笑容更深了，冷冷的双眼逼视我的眼睛。

"有什么了不起的，"我说，"你真的以为，拿她的壁画吓唬我，我就会当你的奴隶？你已经毁过莎拉的房间——不是吗？别以为这样我就会当你的奴隶！"

"我会一直搞破坏，"斯拉皮收拢手指，将我的手腕越抓越紧，拉得我身子往下坠，"也许，我还会搞坏你弟弟的东西。你会背黑锅，艾米，这些坏事会全部栽在你头上。"

"住手——"我想挣脱。

"你的父母已经在为你担心了——是不是，艾米？"木偶嘶声说道，刺耳的低语不带一丝感情，"你父母已经当你是个疯子！"

"停手！拜托！"我哀求道。

"等他们发现你在家里大搞破坏，会怎么办？"斯拉皮问道，"会怎么处置你，艾米？"

"听我说！"我尖叫，"你不能……"

他猛力扯我的胳膊。"他们会把你送到精神病院！"他嘶声叫着，眼里闪动着狂暴的光，"这就是你爸爸妈妈会做的事。他们把你送进精神病院，你再也见不到他们了——除非是在探视日！"

他仰起木头脑袋，发出尖厉的笑声。

低低的呻吟从我的喉咙里发出，我全身战栗。

斯拉皮把我拉近他。"你会是一个很优秀的奴隶，"他对着我的耳朵低语，"你和我还得一起生活好多年，你会将整个生命奉献给我。"

"不！"我喊道，"不，我不会！"

我深深地吸了一口气，然后用力甩胳膊，用尽全身所有力气。

木偶猝不及防，吃了一惊。

不等他放开我的手，我就推得他失去了平衡。

他惊骇地哼了一声，被我提了起来。

他只不过是个木偶罢了，我告诉自己，只是个木偶。我能对付他，我能打败他。

他的手从我手腕上松开。

我弯下腰，两手抓住他没有骨头的胳膊，用力一甩，将他从头顶甩了出去。

他狠狠地摔在地上，头磕到地板，发出巨大的哐啷声。

我呼呼喘气，心脏剧烈地跳动，冲了过去。

我能对付他，我能打败他。

我想用膝盖将他压在地板上。

但他身子一滚，爬了起来，动作快得超出我的想象。

他挥动木拳头，我尖声惊叫。

我想闪开，但他太快了。

沉重的拳头，正正地打在我的额头上。

我的脸好像炸开一样，剧痛传遍全身。

眼前的一切变成了鲜红色。

我双手抱头，倒在地上。

20 搏斗

我能对付他，我能打败他。

这句话不停地闪现在脑海里。

我眨着眼睛，抬起头来。

我绝不认输。

透过眼前红色的薄雾，我伸出两只手。

我抓住斯拉皮的腰，将他按倒。

我顾不得额头上一跳一跳的剧痛，和他在地板上扭打起来。他两脚狂踢，两手乱舞，挥拳朝我打来，想再给我一拳。

但我抬起膝盖，顶在他的腰上，然后两手抓住他松垮的胳膊，牢牢地按在地上。

"放开我，奴隶！"他尖声叫嚷，"我命令你——放开我！"他乱扭乱动。

但我死死地按住了他。

他拼命挣扎，眼睛疯狂地左看右看，木头下巴不停地一开一合，一开一合。

"我命令你放开我，奴隶！你没有别的路！只能顺从我！"

我不理会他的尖叫，将他的胳膊扭到他背后，紧紧地按着，然后站了起来。

他想用两只鞋子来踢我，但我松开他的胳膊，接住了他的两条腿。

我将他倒提了起来，再一次，他的脑袋撞上地面，发出哐啷一声。

好像半点都没伤到他。

"放手！放手，奴隶！你会有报应的！你会付出沉重的代价！"他尖声抗议，胳膊胡乱地挥舞。

我重重地喘着气，将他在地上一路拖过去，扑通一声，丢进打开的衣橱里。

他立即跳起来，想逃跑。

但我迎着他的脸将柜门撞上，拧上了锁。

我叹了口气，背靠衣橱门，大口大口地用力呼吸。

"放我出去！你不能把我关在这里！"斯拉皮暴跳如雷。

他用力砸衣橱的门，还用脚踢。

"我会把柜子砸烂！我真的会！"他威胁地说，砸得更凶了。巨大的木拳头砸在木门上。

我回头一看，柜门已经快要顶不住了。

他就要把门砸开了！

我怎么办？现在怎么办？我极力克制心中的恐慌，思考对策。

斯拉皮发疯似的踢着柜门。

我需要帮助，我心想。

我冲进走廊，爸爸妈妈的房间关着门，要不要叫醒他们呢。

不，他们不会相信我的。

如果把他们拉进房间，斯拉皮一定会毫无生气地躺在柜底，妈妈和爸爸会更加为我担心。

莎拉，我心想，也许能说服莎拉，也许莎拉会听我说话。

她的房门打开着，我冲了进去。

她站在壁画前，手拿画笔，正在往沙滩上点着黄色。

她转过头来，看到我跑进去，生气地绷紧了脸。"艾米——你想干什么？"她质问道。

"你……你一定要相信我！"我急切地说，"我要你帮忙！那些坏事不是我干的，真的不是，莎拉，是斯拉皮。求你了——相信我！是斯拉皮干的！"

"是的，我知道。"莎拉平静地回答。

21 姐姐的秘密

"嗯?"我愣愣地张大了嘴,震惊地看着她,"你说什么?"

莎拉放下画笔,在灰色罩衣上擦擦手。"艾米……我知道是斯拉皮干的。"她小声地又说了一遍。

"我……我……"我太惊讶了,连话都说不清楚了,"可是,莎拉……你……"

"我很抱歉,我真的很抱歉!"她很激动,说完之后就冲上来,张开双臂,紧紧地搂着我。

我还是不敢相信她说的话,脑子里乱哄哄的。

我轻轻推开她:"你早就知道吗?你知道是斯拉皮干的,不是我?"

莎拉点点头:"那天晚上,我醒来了,听到有人进了我的房间。我假装睡着,但眼睛睁开了一条缝。"

"然后呢?"我追问道。

"我看到了斯拉皮,"莎拉承认道,低下了眼睛,"我看到他手里拿着红色的画笔,看到他在墙上写满了艾米、艾米、艾米。"

"那你还不告诉爸爸妈妈?"我叫道,"你让他们以为是我干的?而你却一直都知道真相?"

莎拉的眼睛一直望着地面,黑发垂到脸上。她伸出一只手,飞快地将头发拨回去,流露出几分紧张不安。

"我……我不愿意相信,"她坦白说,"我不希望这事是真的,木偶居然会走路,会是……活的。"

我瞪着她:"然后你怎样?"

"然后我就怪罪在你身上,"莎拉哽咽地说,"真相太可怕了,我可能是被吓坏了,艾米,我希望是你干的坏事,我想骗自己不是木偶干的。"

"其实你想让我倒霉,"我指责她,"所以你才这样干,莎拉,所以你才对爸爸妈妈说假话,你就是想让我倒霉。"

她终于抬起头,正视我。我看到,两滴眼泪流下她的面颊。"是的,我想是的。"她喃喃地说。

她伸手擦去泪珠,绿色的眸子注视着我。"我……我想我有一点忌妒你。"她说。

"啊?"我姐姐再次把我弄昏了。我紧紧地盯着她,想

理解她的意思。"你?"我叫道,"你竟然会忌妒我?"

她点点头:"嗯,我想是的。你干什么都满不在乎,总是那么轻松愉快,谁都喜欢你的幽默劲儿。我就完全不一样,"莎拉解释道,"为了得到大家的欣赏,我只能画画。"

我张开嘴,但一丝声音都发不出。

这真是惊天动地的大新闻。莎拉居然忌妒我?

难道她不知道,我有多么忌妒她?

我心里突然涌起一种古怪的感觉,泪水夺眶而出,强烈的情感像海浪一样向我扑来。

我冲上去,紧紧拥抱莎拉。

不知怎的,我们俩同时放声大笑。我也说不清楚是为什么。我们站在那里,站在她的房间里,笑得像两个疯子。

我猜,我们是很高兴终于可以面对真相。

然后,斯拉皮涂着油彩的脸,又出现在我的脑海里,一股寒意袭上心头,我又想起自己冲进姐姐房间的目的了。

"你要帮助我,"我告诉她,"就是现在。"

莎拉的微笑不见了。"帮你干什么?"她问。

"我们得除掉斯拉皮,"我告诉她,"得让他彻底消失。"

我拉着她的手进了走廊。

"可是……我们要怎么做?"她问。

走进我的房间,我们俩同时惊呼。

我们听到最后一记踹门声——柜门摇晃着打开了。

斯拉皮破门而出,眼神暴怒疯狂。

"想不到吧,奴隶们?"他嘶声说,"斯拉皮赢了!"

22 木偶被塞进下水道

“抓住他！”我对姐姐大喊一声。

我张开胳膊，猛冲向木偶。但他往旁边一跳，躲开了。

他蓝色的眼睛里狂热地闪着光，红嘴唇扭曲着，变成一个狰狞的笑。

“认输吧，奴隶们！”他刺耳的声音在喊，“你们赢不了！”

莎拉直往后退，双手抓着门框，眼里写满恐惧。

我又朝斯拉皮抓去，还是没抓中。

“莎拉——帮忙呀！”我恳求道。

莎拉走进房中。

我扑向斯拉皮，抓住他一只脚踝。

他哼了一声，挣脱出来，冲向门口——正好撞到莎拉

108

身上。

　　这一撞，撞得两个人都头昏脑涨。

　　莎拉踉跄着后退。

　　斯拉皮摇摇晃晃。

　　我飞身扑了上去，揪住他的胳膊，扭到他身后。

　　他拼命挣扎扭动，发狂地乱踢。

　　但莎拉抓住了他的两只鞋子。"把他打个结！"她气喘吁吁地喊道。

　　他又是踢腿，又是翻身。

　　但我们将他按得死死的。

　　我将他的胳膊反扭在身后，像麻花一样拧成一股，拧了又拧，最后用尽力气打了个死结。

　　斯拉皮翻翻滚滚，大声地哼哼，木头下颌咬得咯咯作响。

　　我收拾完他的两条胳膊，抬眼一瞧，原来莎拉将他的双腿也打成了结。

　　斯拉皮仰起脸，怒气冲冲地大吼大叫。他的眼睛直往上翻，只看得到眼白。"放我下来，你们这两个奴隶！赶快放我下来！"

　　我一手从床头柜上抓起一团纸巾，塞进斯拉皮的嘴里。

　　他抗议地哼了几声，然后就安静了。

"现在怎么办？"莎拉上气不接下气地问，"把他扔到哪里去？"

我的眼睛在室内看了一圈。不行，我想，我可不想让他在我的房间里，我也不想让他留在这个家里。

"外面，"我两只手抓着打成结的胳膊，指示道，"把他丢到外面去。"

莎拉极力撑着两条发软的腿，看了看钟。"十一点多了，爸爸妈妈听到了怎么办？"

"我才不管呢！"我喊道，"快点！我要把他扔出去！我再也不想见到他了。"

我们把斯拉皮拖出房间，爸爸妈妈的房门还是关着的。

很好，我心想，他们没有听到我们的那场博斗。

莎拉抬着他打结的双腿，我搬胳膊。

斯拉皮停止了挣扎。我想，他正等着，看我们到底会怎么处置他。那团纸巾堵住了他的叫声。

我不知把他扔到哪里去好，只是一心要把他扔出家门。

我们抬着他，走过黑暗中的客厅，走出大门。我们走进潮湿闷热的夜晚，这个晚上不像春天，更像夏天。银白的月亮低低地挂在蓝黑色的天幕上。

没有风，没有一丝声响，一切静默不动。

莎拉和我将木偶抬上车道。"用自行车运它好不好?"莎拉建议。

"怎么放得稳呢?"我问,"而且,现在太黑了,太危险,还是抬着走吧,走几个街区,随便找个地方一扔就算了。"

"你是说扔到垃圾箱之类的地方?"莎拉说。

我点点头。"垃圾箱正合适,他就应该待在那儿。"

幸好,木偶并不太重,我们走上人行道,抬着他走完了整个街区。

斯拉皮还是软绵绵的,翻着白眼。

在街角,我看到两个白色的光圈,慢慢向我们靠近,是车头灯。"快——"我轻声对莎拉说。

我们及时地躲到了树篱后面,汽车开了过去,并没有放慢车速。

我们等着红色的交通灯在黑暗中熄灭,然后抬着木偶,继续走进下一个街区。

"嘿——这个怎么样?"莎拉问,用空闲的手一指。

我抬眼看她指的是什么。马路对面,在一间黑沉沉的大房子前方,几个金属垃圾桶沿路边一字排开。

"看起来不错,"我说,"就把他塞进去,用盖子盖好,也许明天早上,清洁工就会把他拉走。"

我领头过了马路,然后停下脚步。"莎拉——等等,"

我小声说，"我有个更好的主意。"

我拉着木偶往街角走去，指了指路边的井盖。

"下水道?"莎拉悄声说。

我点点头，"这个地方太好了。"从排水口里，可以看到下面的流水，"来，把他塞进去。"

斯拉皮没有半点的挣扎反抗。

我将他的头先塞进排水口，然后和莎拉一起，将他头朝下，整个儿塞了进去。

我听到扑通一声，然后是沉重的一声砰，他落到了下水道的底部。

我们俩一起侧耳倾听，没有动静，只有轻微的水声。

莎拉和我相对一笑。

我们匆匆赶回家。我真开心，一路蹦蹦跳跳。

第二天早上，莎拉和我一起到厨房吃早餐。妈妈从餐台上倒了一杯咖啡，然后转过身来。

杰德已经坐在桌边，吃着甜麦片。"他在这儿干什么?"杰德问道。

他伸手指着桌子对面。

斯拉皮坐在椅子里。

23 木偶再次行动

莎拉和我同时大惊失色。

"对啊，这木偶怎么会在这儿?"妈妈问我，"我早上一进来，就看到他坐在这里，为什么他这么脏? 他上哪儿去啦，艾米?"

我几乎说不出话来。"我……呃……我想，他可能是摔了跤。"好不容易才说出一句。

"把他拿走，"妈妈下令，"不是说要把他锁在柜子里的吗——还记得吗?"

"呃……是，我记得。"我说着，叹了一口气。

"你等一会儿得把他洗干净，"妈妈边搅着咖啡边说，"他好像在泥浆里打过滚似的。"

"好的。"我有气无力地答应着。

我抓起斯拉皮，甩到肩上，扛着他往房间走去。

"我……我和你一起去。"莎拉结巴地说。

"为什么?"妈妈问道,"坐下,莎拉,吃你的早餐。你们俩都快迟到了。"

莎拉顺从地坐在杰德对面,我继续往前走。

走到一半,斯拉皮抬起头,在我耳旁低声说:"早上好,奴隶,昨晚睡得好吗?"

我将他扔进衣橱,锁上柜门。他的笑声从里面传出来,邪恶的笑声让我全身发抖。

现在我可怎么办?我问自己,怎样才能除掉这个鬼东西?

一天慢慢地过去了。老师说了些什么我根本听不到。

我挥不去斯拉皮邪恶的笑脸,他嘶哑难听的声音一直回响在我的耳边。

我不会当你的奴隶!我暗暗发誓,我会把你赶出我的家——赶出我的生活——付出任何代价都在所不惜!

这天晚上,我躺在床上,毫无睡意。一个邪恶的木偶,就坐在离我几步远的柜子里,我怎么可能睡得着?

这个晚上炎热潮湿,我把窗户全都打开,但还是一丝风都没有。一只苍蝇在我耳朵边嗡嗡乱叫,这是今年春天的第一只苍蝇。

我望着天花板上扭曲的阴影，挥手赶走苍蝇。嗡嗡声一消失，另一个声音立即传入耳中。

咔嗒一声，然后是很低的吱扭一声。

柜门打开的声音。

我从枕头上抬起头来，在黑暗中用力张望，看到斯拉皮偷偷爬出衣橱。

他别别扭扭地走了几步，大鞋子无声地滑过地毯，然后转了个身。

他向我的床边走来了吗？

没有。

他的头和肩一起一伏，全身拉拉扯扯，向门边走去，走进走廊。

他要去莎拉的房间，我知道。

但他想干什么？是要报复我们昨天晚上对他做的事吗？

他想制造什么新的恐怖事件呢？

我从床上爬起来，跟在他身后，来到走廊里。

24 是谁？

走廊那头，小夜灯射出昏暗的黄光，我的眼睛很快就适应了。我看着斯拉皮歪歪斜斜，向姐姐的房间走去，像个影子一样没有半点声息。

我屏着呼吸，背贴着墙，一直跟在他身后。他转身进入莎拉的房间，我离开墙边，跑了起来。

我及时来到门口，正好看到斯拉皮从莎拉的工作台上，拿起一支大号画笔。他向壁画走了一步。

又一步。

就在这时，另一个很小的身影从暗处扑了出来。

灯亮了。

"丹尼斯！"我大喊一声。

"滚开！"丹尼斯喝道，声音又尖又利。他低下木头脑瓜，照着斯拉皮就冲了过去。

莎拉从床上坐起，发出惊慌的大叫。

我看得到，斯拉皮的脸上现出了困惑不解的神情。

丹尼斯冲向斯拉皮，一头撞在他的腰上。

斯拉皮发出响亮的哎哟一声，连连后退，终于倒在地上。

斯拉皮的后脑勺砸在莎拉的铁床脚上，发出巨大的一声闷响。

我双手捂着脸，瞠目结舌，看着斯拉皮的头裂开。

木头的脑袋裂成两半。

我亲眼看着那邪恶的脸分成了两边，那双大睁的眼睛，带着惊愕的神情，分成了一边一只。鲜红的嘴唇也破开了，分成两半。

那颗头颅一分为二，掉在地上，他的身子随即也垮了下来，堆在脑袋旁边。

我的手一直紧紧地捂着脸颊，心狂跳个不停。我走了几步，走进房间。

丹尼斯从我身边跑过，跑出了房间。

但我没有注意他，我的眼睛死死地盯着斯拉皮裂开的头。我满怀恐惧，看到一条肥大的白色虫子，从其中一半脑袋里爬了出来，蜿蜒游动，曲曲折折地爬向墙边——消失在护墙板后面的缝隙里。

莎拉从床上爬起来，用力喘着气，兴奋得满脸通红。

衣橱的门打开，爸爸妈妈冲了出来。

"姑娘们……你们还好吗?"爸爸喊道。

我们点点头。

"我们全都看到了!"妈妈叫道。她一把抱住我，"艾米，真对不起，我真的很抱歉，我们应该相信你的，我很难过，我们居然不信你。"

"现在我们相信你了!"爸爸大声说着，盯着斯拉皮裂开的脑袋，还有缩成一堆的身体，"我们全都看到了。"

全都是计划好的。莎拉和我晚饭前安排了这一切。

莎拉说服了爸爸妈妈，让他们藏在衣橱里。我的行为着实让爸爸妈妈心惊肉跳，为了我他们干什么都愿意。

于是莎拉就假装睡觉，爸爸妈妈藏身在衣柜里。

我故意让衣柜门留下一条缝，方便斯拉皮溜出来。

我料定斯拉皮会潜入莎拉的房间，这回爸爸妈妈一定会看到，我不是疯子。

然后，杰德会乔装打扮成丹尼斯，将丹尼斯的头装在他的套头毛衣上。

我们知道，斯拉皮会大吃一惊，我们可以趁机抓住他。

我们没想到的是，杰德居然干得那么漂亮。我们没想到，杰德会彻底消灭这个邪恶的木偶。我们没想到，斯拉皮的头会裂成两半，真是太走运了。

"嘿——杰德上哪儿了?"我问,在房间里四处寻找。

"杰德?杰德?"妈妈喊道,"你在哪里?你的表现很棒噢!"

没有回答。

没有弟弟的影子。

"真奇怪。"莎拉摇摇头说。

我们都拥到了杰德的房间。

原来他躺在床上,睡得正香。他睡眼惺忪地从枕上抬起头来,看着我们。"几点了?"他半梦半醒地问。

"快十一点了。"爸爸回答。

"啊,天哪!"杰德大喊一声,坐了起来,"对不起啊!我睡过头了!我忘了要装扮成丹尼斯了!"

一股寒意,嗖地流遍我的全身。我转过头去,望着爸爸妈妈。"那么,和斯拉皮打了一架的是谁?"我问道,"是谁?"

幽灵阴影

1 勒令休学

一个神秘的幽灵潜伏在我们的学校。

没有人见过他，没有人知道他住在哪里。

但他在我们学校阴魂不散，已经超过七十年了。

是我和最好的朋友泽克一起发现了他。当时，我们正在排演一出关于幽灵的校园剧。

老师曾告诉我们说，这出戏被诅咒了，但我们不相信她，以为是在开玩笑。

但是，当我亲眼看到幽灵的时候，才知道这不是笑话。这是真的，半点不假。

看到幽灵的那天晚上，是我们一生中最恐怖的夜晚。

不过我最好还是从头开始说起。

我的名字叫布鲁克·罗杰斯，是伍斯密尔中学的学生。

泽克·马修斯是我最好的朋友。别的女孩都觉得不可

思议，我最好的朋友居然是个男孩，但我才不管呢。泽克比我认识的所有女孩都酷，而且好玩。他还是个狂热的恐怖电影爱好者，跟我正好一样。

泽克和我成为最好的朋友，已经九年之久了，对方的每一件事我们都一清二楚。比如说，我知道泽克还穿着印有青蛙柯密特的卡通睡衣！

我一跟别人说起这事，他就很恼火，每一次都弄成大红脸，让脸上的雀斑更加明显。

泽克很讨厌他的雀斑，就和我讨厌自己的眼镜一样。我不知道为什么他对几颗雀斑这么在意，过一会儿你几乎就注意不到了。而且，到了夏天，他晒黑以后，就完全不见了。

我希望我的眼镜也能消失。这副眼镜让我显得傻头傻脑的，可是如果不戴的话，我走路就会撞墙！

学校里有几个女生觉得泽克很可爱，我从没这么想过。我猜，也许是因为我几乎一生下来就认识他的缘故。我们俩的妈妈在保龄球协会里结识，发现大家住在同一条街上我们的友情就开始了。

激动人心的幽灵事件，发生在几周前的一个星期五。学校放学了，我正使劲地想打开自己的储物柜。我把头发从脸旁拨开，拧着暗码锁。这个破储物柜总是打不开，气得人发疯。

拧了四次，终于打开了。我把书一股脑儿扔了进去，砰地甩上了柜门。在周末，想叫我拿课本回家，门儿都没有。从这一秒钟起，我就放假了！整整两天不用上学。

太棒了。

没等我转身，耳旁呼的一声，一只拳头飞出来，砰的一声巨响，砸在储物柜上。

"怎样啊，布布？"一个声音在身后响起，"星期天没作业？"

不用回头，我就知道这是谁。全世界只有一个人可以叫我"布布"。

我转身看到泽克正咧着大嘴傻笑。他一头金发，额发留得很长，搭在一只眼睛上，后脑勺头发却很短，简直像剃光了一样。

我微微一笑，朝他吐舌头。

"很成熟噢，布布。"他嘀咕一句。

我又把眼皮翻上去不下来。我这个本事确实挺恶心，别人看了总是又尖叫又作呕。

泽克连眼睛都不眨，我的眼皮把戏，他看过至少亿万次。

"没有，没有作业！"我回答，"没有课本，什么都没有，这个周末彻底解放。"

这时候我想到了一个好主意。"嘿，泽克，"我说，"明天瑞屈可以带我们去怪物电影节吗？"

125

　　三部怪物电影正在辛普乐斯影院上映，我想看得要命。其中一部还是3D电影！泽克经常和我一起去看恐怖电影，只为了在可怕的地方哈哈大笑。我们有钢铁做的神经，从来不懂得害怕。

　　"也许吧，"泽克回答，拨了拨头发，"但瑞屈被禁闭了，罚他一个星期不准开车。"

　　瑞屈是泽克的哥哥，他一辈子的大部分时间都在禁闭。

　　泽克把背包换到另一边肩上。"别再想着怪物电影大餐啦，布鲁克。有件事你忘了吗？"他朝我眯起眼睛，"一件大事？"

　　我皱起鼻子。忘了什么事？我完全摸不着头脑。"是什么？"最后我问道。

　　"想啊，布布！想想啊！"

　　真的不知道泽克指的是什么。我拢起长发，用套在手腕上的发圈扎成一条马尾巴。

　　我的两只手腕上，总是各有一个发圈。我喜欢准备充足，你永远不会知道，什么时候就会用得上发圈。

　　"真的，泽克，我不知道。"我边说边扎紧马尾，"你告诉我不好吗？"

　　刚说完，我突然开窍了。"演出名单！"我大喊一声，一巴掌拍在额头上。我怎么把这个都忘了呢？泽克和我等了足足两个星期，想知道我们能不能在校园剧里分到两个角色。

"走！看看去！"我一把抓住泽克法兰绒衬衫的衣袖，拽着他来到礼堂。

泽克和我一起，参加了这出戏的演员选拔。去年，我们在音乐剧《美女与赌徒》里演了两个小角色。我们的老师沃克尔小姐说，今年这出戏会很吓人。

这正中我和泽克的下怀，我们一定要演这出戏！

公告板前聚了一大帮同学，都急着想看演出名单。

我好紧张！"我不敢看，泽克，"我喊道，"你去看，好不？"

"嗯，没问……"

"等等！还是我来吧！"我又大叫一声，改变了主意。我总是这样反复无常，泽克说都快把他逼疯了。

我做了个深呼吸，从人堆里挤了进去，一边啃着左手大拇指的指甲，一边用右手捂着眼睛，仰头从指缝里看那名单。

可是，那儿有一张布告，我看完之后，差点儿把整只大拇指咬下来！

演出名单旁边，贴着一张字条：

布鲁克·罗杰斯请注意：请到利维先生办公室。你被勒令休学了。

2 被诅咒的戏剧

勒令休学？

我呆若木鸡。

难道我把沙鼠放进教师休息室的事穿帮了？被利维先生知道是我干的？

勒令休学。

我觉得好难受。爸爸妈妈要吓坏了。

唧唧唧的笑声传了过来。

我转过身去，看到泽克笑得头都要掉下来了，别的同学也都在哈哈笑。

我气冲冲地瞪着泽克。"字条是你贴的？"

"当然啦！"他回答，笑得更响了。

他有一种变态的幽默感。

"我一点儿都没信！"我撒谎。

我回到公告板前，看那个演员名单。我读了三遍，不敢相信自己的眼睛。"泽克！"我隔着一大群孩子喊道，"你和我……我们俩是主角！"

泽克惊讶地张大了嘴巴，然后一咧，又笑了。"噢，那是当然。"他眼珠一转，回答道。

"不，是真的！"我喊道，"我们俩得到了最重要的两个角色！你自己过来看！你演幽灵！"

"不可能！"泽克还是不信我。

"她说的是真话，泽克。"我身后的一个女孩子说着，从人群里挤了过来。原来是七年级的汀娜·波薇儿。

我总有一种感觉，汀娜·波薇儿不太喜欢我。不知道为什么，我跟她其实很不熟。但她好像一见到我就要拧眉毛，好像我牙齿缝里塞着菠菜什么的。

"让我看看名单！"泽克边说边挤进来，"哇塞！我真的是主演噢！"

"我演的是埃斯美兰达，"我读道，"还不知道埃斯美兰达是谁呢。嗨，也许她是幽灵的那个疯狂的老继母，也许是死而复活的无头妻子，要……"

"别瞎扯了，布鲁克，"汀娜对我皱着眉头说，"埃斯美兰达是个什么剧场老板的女儿。"听她的口气，会让人以为埃斯美兰达只是个微不足道的小角色。

"呃，你演什么，汀娜？"我问道。

汀娜的脚在地上不自在地挪了挪。一些同学转过头来，想听她怎么说。

"我是你的替角！"她眼睛看着地面，含糊地说，"如果你病了，或者有别的事不能演出，就由我来演埃斯美兰达。另外，我还负责所有的舞台布景！"她自以为了不起地说道。

我想说几句尖酸刻薄的话，要在大家面前，让这位鼻子朝天的娇小姐汀娜·波薇儿别忘了自己姓啥。但我想不出来。

我不是一个尖酸刻薄的人，想说尖酸刻薄的话不容易——虽然我很想。

所以，我决定还是不理她算了。这出戏让我太兴奋了，汀娜·波薇儿也扫不了兴。

我穿上牛仔外套，随手将背包甩到肩上。"走，幽灵，"我对泽克说，"咱们到附近闹鬼去。"

星期一的下午，我们开始排练这出戏。我的老师沃克尔小姐担任指导。

她站在礼堂的舞台上，看着坐在下面的我们，手里拿着一大摞剧本。

沃克尔小姐有一头红色的卷发，漂亮的绿眼睛，很瘦，瘦得像支铅笔。她是个好老师——就是有点儿太严了。不过还是很好的。

泽克和我在第三排找到两个座位，并排坐下。我看看周围的同学，大家都在七嘴八舌地说个不停，个个都兴高采烈。

"你知道这出戏是讲什么的吗？"科里·史科拉问我。他扮演我的父亲，嗯，是埃斯美兰达的父亲。科里和我一样，有栗子色的褐发，并且也戴着眼镜。也许就是因为这个，我们才演一家子。

"不知道，"我耸耸肩回答，"谁都不知道，我只听说，它很吓人。"

"我知道它讲什么！"汀娜·波薇儿大声宣布。

我坐在椅子上拧过身去。"你怎么会知道？"我问，"沃克尔小姐还没发剧本呢。"

"我的曾祖父很久以前，是伍斯密尔中学的学生，他把幽灵的事全都告诉我了。"汀娜又吹上了。

我很想告诉汀娜，他曾祖父的老土故事没人想听。但是，她随后又说了一句："他还告诉我，这出戏被下了诅咒！"

这话立即把所有人都镇住了，我也闭上了嘴。

就连沃克尔小姐也听到了。

泽克用胳膊肘捅捅我，激动地睁大了眼。"诅咒？"他乐滋滋地悄声说，"酷！"

我点点头。"酷毙了。"我低声说。

"曾祖父给我讲了一个吓死人的故事，和这出戏有关，"汀娜说了下去，"还说学校里有幽灵，一个真正的幽灵……"

"汀娜！"沃克尔小姐插话进来，走到舞台前面，俯视着汀娜，眼神很严厉，"我希望你今天不要讲这个故事。"

"嗯？为什么？"我大声问。

"对呀，为什么？"泽克附和地说。

"它不一定是真的，而且太恐怖，我觉得今天听这个故事不合适。"沃克尔小姐态度很坚决，"今天，我要把剧本发给大家，并且……"

"你知道这个故事吗？"汀娜问她。

"知道，听说过，"沃克尔小姐告诉她，"但我希望你不要说出来，汀娜。这个故事会把人吓坏，而且太悲惨，我真的不想……"

"我们要听！我们要听！我们要听！"泽克带头鼓噪起来。

然后，我们大家一起，笑嘻嘻地看着老师，有节奏地集体起哄："我们要听！我们要听！我们要听！"

为什么沃克尔小姐不想让我们听这个故事？我很好奇。

到底有多吓人呢？

3 失踪的男孩

"我们要听！我们要听！我们要听！"我们继续起哄。

沃克尔小姐举起双手，叫我们安静。

但我们反而更起劲地跺起脚来，和着叫喊的拍子。

"我们要听！我们要听！我们要听！"

"OK！"她终于喊道，"OK！我给你们讲讲这个故事。但是，要记住——这只是个故事，我不希望把你们吓得太厉害。"

"你吓不着我们！"泽克大声嚷道。

所有人都笑了。但我只是紧紧地盯着沃克尔小姐，因为我发现，她是真的很不想让我们听这个故事。

沃克尔小姐常常说，只要我们愿意，什么事都可以跟她谈。这让我很好奇，为什么她就不想跟大家说说幽灵的事呢。

"这个故事发生在七十二年以前，"沃克尔小姐说开了，"伍斯密尔中学刚刚成立，我想，汀娜的曾祖父就是在那一年入学的。"

"对，没错，"汀娜大声说，"他上一年级。他还告诉我，那时候全校加起来，也只有二十五个学生。"

沃克尔小姐身穿黄色羊毛衫，交叉起两条瘦骨嶙峋的胳膊，抱在胸前，接着说了下去。"学生们想排演一出戏，有个男生跑到老伍斯密尔图书馆的地下室里，找到了一个剧本，名叫《幽灵》。

"这出戏很有恐怖气氛，讲的是神秘幽灵拐跑一个姑娘的故事。男孩把剧本交给了老师，老师觉得它很有意思，加上他们可以制造一些恐怖的特技效果，一定会取得巨大的成功。"

泽克和我兴奋地看了一眼对方。这出戏还有特效！我们最爱特效！

"《幽灵》开始排练了，"沃克尔小姐说下去，"在图书馆发现剧本的男孩演剧中的主角。"

大家都把头转向泽克，他露出自豪的微笑，好像立了什么功似的。

"每天放学后，他们都会排戏，"沃克尔小姐继续讲故事，"大家都很开心，为了演出的成功，每个人都很努力。一切都很顺利，直到……直到……"

她迟疑着没有说下去。

"讲啊！"我大声喊。

"讲啊！讲啊！"又有几个同学跟着起哄。

"我希望你们都记住，这只是个故事而已，"沃克尔小姐开口道，"一点根据都没有。"

我们纷纷点头如捣蒜。

沃克尔小姐清了清嗓子，接着讲了下去。"演出的那天晚上，孩子们化好了装，父母亲和朋友都来了，把礼堂挤得满满的，就是现在这个礼堂。孩子们的心情，又是紧张，又是兴奋。

"演出就要开始了，老师把他们叫在一起，给他们打气。但大家很吃惊地发现，演幽灵的男孩不见了。"

沃克尔小姐在舞台上来回走着，继续这个故事。"他们大声叫他，又到后台去找，但就是找不到这出戏里的主角——幽灵。

"他们分头去找他，每个角落都找到了，但就是不见他的踪影。这个男孩失踪了。"

"他们找了一个钟头，"沃克尔小姐说下去，"大家都很难过，也很害怕，尤其是男孩的父母。

"最后，老师走上舞台，准备宣布取消演出。但没等她开口，一声叫人毛骨悚然的号叫响彻了整个礼堂。"

沃克尔小姐停下脚步："这叫声非常恐怖，人们说，就像是野兽的号叫。

"老师向发出声音的地方跑去，大声呼喊男孩的名字。但那儿只有一片寂静，让人心里发沉的寂静。尖叫声再也没有出现。

"整个学校又被彻底搜查了一次，但那个男孩一直没有找到。"

沃克尔小姐费力地咽了一下口水。

我们鸦雀无声，连呼吸都屏住了。

"从此，他再也没有出现过。"她又说了一句，"我知道，你们会说，戏里的幽灵变成了真正的幽灵，他消失了。这出戏以后再也没有上演。"

她站在那儿，专注地看着我们，目光从一个一个座位上掠过。

"真诡异。"后面有人小声说。

"你觉得这事是真的吗？"我听到一个男孩在悄悄问。

就在这时，就在我身边，科里·史科拉大大地吸了一口冷气。"啊，天哪！"他指着侧门大叫一声，"他在那儿！幽灵！"

我转过头去——每个人都一样——看到了幽灵那邪恶的面孔，就在门口，朝我们狞笑。

4 沃克尔小姐不见了

科里·史科拉大声尖叫。

好多同学都尖叫起来，我甚至还听到了汀娜的叫声。

幽灵面孔扭曲，笑得十分狰狞，火红的头发直立在头顶，一只眼球从眼眶里暴突出来。一条长长的伤口，从上到下，划过他的整张脸，一道一道黑线排列在这个伤口上，将它缝补起来。

"呜！"幽灵大喝一声，冲进观众席的过道里。

更多的尖叫声响起。

我却只是笑个不停，知道是泽克在搞鬼。

我以前见过他戴这个傻乎乎的面具，他把它放在储物柜里，随时准备派上用场。

"算了吧，泽克！"我喊道。

他拉住头发，把面具扯下来，脸都憋红了。泽克笑嘻嘻地看着大家，知道自己的玩笑开得很成功。

这下大家都笑了。

有人朝泽克扔了个空牛奶罐子，另一个趁着泽克往座位上走，企图绊倒他。

"很有趣，泽克，"沃克尔小姐眼珠一转，说道，"但愿今天幽灵不会再来拜访我们了！"

泽克回到我旁边的座位上。"你干吗把大家吓成这样？"我小声说。

"喜欢。"泽克朝我咧嘴一笑。

"那，我们是不是最先演出这部戏的人？"科里问沃克尔小姐。

老师点点头："是的。自从七十二年前，那个男孩消失以后，学校就作出了决定，毁掉了所有的剧本和布景。但其中有一个副本留了下来，这些年一直锁在学校的储藏室里。现在，将由我们把《幽灵》第一次搬上舞台！"

同学们立即兴奋起来，在下面说个不停，沃克尔小姐叫了半天，好不容易大家才又安静下来。

"现在大家听好了，"她双手叉在铅笔一样细的腰上说，"刚刚讲的只不过是个故事，是一所古老学校的传说。我敢保证，就算是汀娜的曾祖父，也会告诉你们，那不是真的。我讲这个故事，只不过是想让你们感受一下恐怖的气氛。"

"那个诅咒又是怎么回事?"我扬声问她,"汀娜说有诅咒!"

"没错,"汀娜大声说,"我的曾祖父说,这部戏被诅咒了。幽灵不想让任何人演这部戏。爷爷说,幽灵还在学校里面,他在这里阴魂不散,已经有七十多年了!但从来没有人见过他。"

"太好了!"泽克说着,眼睛都亮了。

有些同学在笑,但有些同学的表情似乎有点儿不安,有一点害怕。

"我说过了,那只不过是个故事,"沃克尔小姐说,"现在,咱们还是做正事,好吗?谁想帮我发剧本?大家人手一份,我希望你们把它带回家,研究自己的角色。"

泽克和我抢着冲上舞台帮沃克尔小姐,差点儿撞得摔成一团。沃克尔小姐递给我们一人一摞剧本,我们爬下舞台,一本一本发出去。我走到科里面前,他的手直往后缩。"万……万一那诅咒是真的呢?"他扬起脖子冲沃克尔小姐喊道。

"科里,拜托,"她还是那个态度,"别再说幽灵和诅咒了,行吗?我们有很多事要做,还有……"

她的话没有说下去。

却变成了一声尖叫。

我转回身去看舞台,一秒钟以前,沃克尔小姐还站在上面。

　她不见了。

　她忽然间就从空气中消失了。

5 活门

剧本从我手中哗啦一声，掉到地上。

我转身就往舞台上冲，耳边是同学们惊慌的叫喊声。

"我们眼睁睁看着她不见了！"我听到科里在说。

"怎么可能这样呢！"一个女孩尖声叫道。

我和泽克爬上舞台。"沃克尔小姐——你在哪儿？"我喊道，"沃克尔小姐？"

没人回答。

"沃克尔小姐？听到我叫你吗？"泽克大声说。

然后，我听到了沃克尔小姐微弱的求救声。"我在下面！"她喊道。

"哪里的下面？"泽克问。

"就是这里的下面！"

舞台下面？她的声音确实是从那儿发出的。

"让我上去!"沃克尔小姐又喊了。

这里有什么古怪?我不明白。为什么我们听得到她的声音,却看不到人?

是我最先看到台面上有一个正方形的大洞。泽克和其他同学都走过来,围在洞口。我走过去往洞下面看。

沃克尔小姐正抬头看着我。她站在一个很小的方形平台上,在舞台下面五六英尺。"得把平台升起来。"她说。

"怎么才能让它升起来?"泽克问道。

"按那个木栓,就在台面上。"沃克尔小姐指着活门边的一个小木栓说。

"明白!"泽克喊了一声,按下木栓。我们听到叮的一声,然后就是一阵吱吱嘎嘎的机器摩擦挤压的声音。

慢慢地,平台升了上来。沃克尔小姐走出来,面带微笑地看着我们,一面拍打蓝色休闲裤后面的灰尘。"我忘了这儿有道活门,"她说,"掉下去摔断腿都是可能的,不过幸好我没事。"

我们围拢过来。泽克跪下去,两手撑地,细细地打量这道活门。

"这出戏最精彩的部分,我还忘了说,"沃克尔小姐对我们说,"这道活门,是七十年前为了《幽灵》的第一次演出,专门制造的,现在谁都不记得它了。一直以来的校园剧演出中,没有哪一次用到它——除了我们!"

我惊喜地张开了嘴。活门！多了不起！

沃克尔小姐伸手把泽克从洞口拖开。"当心，别掉下去，"她说，"之前我把平台降下去了，后来又忘记它还没有升上来。"

泽克站直身子，我看得出，这活门让他大感兴趣。

"在《幽灵》第一次排演的时候，"沃克尔小姐告诉我们，"学校建了这道活门，好让幽灵可以从下面突然出现，或者突然消失。在那个时候，这就算是很惊人的特技效果了。"

我的眼睛看向泽克，他已经兴奋得快要爆炸了。"在这出戏里，是不是只有我会用得上它？"他急不可耐地说，"我现在能不能试一试？"

"现在不行，泽克，"沃克尔小姐不容置疑地说，"我得先找人检查检查，看看安不安全。在检查之前，谁都不准摆弄它。"

泽克又已经四肢着地，趴在活门上起劲地看着。

沃克尔小姐大声地清了清嗓子。"清楚了吗？泽克？"她问。

泽克匍匐在地，抬起眼睛向上看了看，然后叹了一口气。"清楚了，沃克尔小姐。"他说道。

"好，"沃克尔小姐说，"现在大家回到座位上，在解散以前，我把剧本读一遍，让你们对这个戏和戏里的角色，有个大概的了解。"

我们各自回到座位上。泽克的表情吸引了我，那副样子我见过。他左边的眉毛抬起来，挤得额头现出了皱纹，肯定是在暗自盘算着什么。

读剧本花了一个多小时，《幽灵》确实是一部很惊悚的戏。

故事讲的是，有一个名叫卡路的男人，他拥有一个古老的剧院，里面上演的是戏剧和音乐会。卡路觉得他的剧院里面有幽灵出没。

原来，地下室里确实有一个幽灵。他的脸上有伤疤，看上去像魔鬼一样狰狞可怖。所以，他总是戴着一个面具。但卡路的女儿埃斯美兰达爱上了幽灵，想和他私奔，但被她英俊的男友埃里克发现了。

埃里克爱着埃斯美兰达。他跟踪幽灵，经过剧院地下深处的一条黑暗通道，来到幽灵秘密的栖身处。在搏斗中，埃里克杀死了幽灵。

这伤透了埃斯美兰达的心。她离家出走，从此再也没有人见过她。幽灵变成了鬼魂，他将永远徘徊在这个剧院里。

好感人哦，对吧?

大家都读得津津有味。谁都看得出来，这戏演起来一定很带劲。

　　我读着埃斯美兰达的台词，在心里想象，等到我穿上戏服，在台上表演时，那会是个什么样儿。有一次，我回头一瞥，看到汀娜正默默地读着我的那部分。

　　看到我在看她，她停了下来，像惯常的那样，又对我皱起了眉毛。

　　汀娜根本就是在妒忌，我告诉自己，她想演埃斯美兰达，想得要命。

　　有那么一会儿，我为汀娜感到难过。我不太喜欢汀娜，但我也并不想因为抢了她想要的角色，而招来她的愤恨。

　　但我没什么时间去想汀娜，要看的内容还多着呢。埃斯美兰达的戏份儿很重，确实是个主要角色。

　　读完之后，我们全体鼓掌欢呼。

　　"好啦，大家回去吧，"沃克尔小姐边对我们挥手边说，"熟悉自己的台词，明天再碰头。"

　　我跟着大家往门口走去。这时，有一只手把我往后拉，回头一看，原来是泽克。他把我拉到一根很粗的水泥柱后面。

　　"泽克——你搞什么鬼?"我问道。

　　他伸出一只手指按在嘴唇上。"嘘——"他两眼放光，兴奋得不行，"让别人先走。"他悄悄地说。

　　我从柱子后面偷偷张望，沃克尔小姐把灯光调暗，收

拾纸张，穿过礼堂走了。

"我们躲在这里干什么?"我烦躁地小声问。

泽克笑眯眯地看着我。"咱们试试那活门去。"他也小声地说。

"啊?"

"研究研究呗，快点儿，趁现在没人。"

我飞快地扫了一眼礼堂，这里空荡荡、阴沉沉的。

"来呀，别这么没用，"泽克鼓动我，把我朝舞台拉，"看一看就行，好吗? 有什么大不了的呢?"

我犹犹豫豫地转过去。"好吧。"我说。

泽克说得对，有什么大不了的?

6 地下通道

我们俩爬上舞台。这儿比刚才黑了好多，而且感觉也冷了好多。

我们的运动鞋踩在木地板上，每一下都好像有回声，在整个礼堂里回荡。

"这个活门太酷了！"泽克说，"真可怜，你在戏里没机会用。"

我戏谑地推他一把，想反唇相讥，但突然间却强烈地想打喷嚏。礼堂灰扑扑的幕布一定是让我的过敏症发作了。

我的过敏症是所有生物中最严重的。我对一切东西都过敏，只要你说得出来的。灰尘、花粉、猫、狗……甚至还有一些毛衣。

过敏症一发作，常常会让我一连打上十三四个喷嚏，

147

最高纪录是十七个。

泽克喜欢数我的喷嚏，自以为很风趣似的，一边跺脚一边吆喝，"七！八！九！"

哈哈。一连打了十个喷嚏以后，我已经笑不出来了。到了这时候，我的模样已经惨不忍睹，鼻涕一塌糊涂，眼镜上雾蒙蒙的。

我们轻手轻脚走到活门前。"在它周围找找，"泽克悄声说，"找那个打开它的木栓。"

我摸黑找木栓，泽克站到了活门上。我抓狂地想忍住喷嚏，可是太难了。

然后我看到了台面上的小木栓。"嗨——我找到了！"我开心地叫了起来。

泽克紧张地瞄了一眼礼堂："嘘！别让人听见！"

"对不起。"我小声说。可是我已经再也忍不住了，我两眼汪汪，都是泪水，没命地想打喷嚏。

我从包里抓出一把纸巾，全捂在鼻子上，然后就开始打上了，我还拼命地压低声音。

"四！五！"泽克数上了。

好在，这一次的喷嚏不是冲着打破纪录来的。我才打出七个。我擦擦鼻子，把脏纸巾塞回包里。是挺恶心的，但没别的地方扔。

"好啦，泽克，可以干啦！"我叫道。

我一脚踩下木栓，跳到活门上，站在泽克身旁。

叮的一声，然后便是金属的铿锵声，机件摩擦挤压的吱吱嘎嘎声。

那块方形的台面开始下沉。

泽克抓住我的胳膊。"嘿——这东西有点儿晃！"他喊道。

"你可不会害怕——是不是！"我挑战他。

"当然！"他撑着脖子说。

铿锵声更响了。平台在脚下震动，我们往下降。往下，往下——舞台消失了，我们被黑暗重重包围。

我原以为平台到了舞台下面就会马上停止，沃克尔小姐就是停在这个位置的。

但是，没想到，这平台一直往下沉。

而且越往下，速度越快。

"嗨——怎么回事？"泽克大叫，抓着我的胳膊。

"这东西降了多深？"我大声问。

"啊！"泽克和我都大叫一声，平台终于到底了，发出砰的一声巨响。

我们俩都摔倒了。

我手忙脚乱地爬了起来。"你还好吧？"

"嗯，大概吧。"泽克的声音明显带着惊慌。

我们好像到了一条很长很黑的隧道里面。

黑暗而沉寂。

我不想承认，但我确实也快要吓坏了。

突然，一种轻微但又刺耳的声音，打破了沉寂。

我顿时满心惊恐，喉咙发紧。那个声音，是什么？

这声音持续不断，轻轻地重复着。

像呼吸。

我的心怦怦地狂跳起来。没错！是呼吸声。某种不明生物的呼吸，很刺耳，离我这样近。

就在我身边。

泽克！

"泽克——你干吗这个样子呼吸？"我质问道，心跳慢慢恢复正常。

"哪个样子呼吸？"他小声问。

"唉，算了。"我说。他的呼吸变成这样，是因为他心里害怕。我们俩心里都在害怕。但叫我们谁承认这一点，都是不可能的。

我们抬头看看礼堂的天花板，它在头顶很远的地方，只看得到很小的一块正方形，遥不可及。

泽克扭头对我说："你觉得这是哪儿？"

"舞台下面差不多一英里深。"我回答道，身上冒出一股凉气。

"你可真行啊，福尔摩斯！"泽克怪声怪气地说。

"你那么聪明，那你告诉我！"我顶了他一句。

"不是地下室，"他动着脑子，"我觉得，这儿比地下室还深。"

"好像是一条大隧道之类的地方，"我说，极力不让声音发颤，"想去探个险吗？"

他很久都没有做声。"太黑了。"最后他说道。

我并不是真心想去探险，只不过想装出勇敢的样子。一般来说，我喜欢惊险刺激，但在地下这么深的地方，实在是刺激过了头，连我都受不了。

"等下次我们拿上电筒再来。"泽克轻声地说。

"嗯，电筒。"我应了一句。我压根儿就不想再回来！

我紧张地拨弄着手腕上的发圈，用力向黑暗之中张望。有件事让我心神不定，一件不合情理的事。

"泽克，"我深思地说，"为什么舞台上的活门要开到这么深的地方？"

"不知道。可能是让幽灵在礼堂里闹鬼之后，能尽快回家。"泽克开玩笑地说。

我捶了他的胳膊一下："别拿幽灵开玩笑……行不？"

如果真的有幽灵，我自言自语，这儿可能就是他的藏身之处。

"咱们离开这儿吧！"泽克说着，抬起头，盯着上面远远的那一小片正方形光亮，"我怕赶不及晚饭。"

"好，当然，"我交叉抱起两条胳膊，"只是还有一个问题要问，万能先生。"

"什么问题？"泽克犹豫地问。

"我们怎么上去？"

我们俩一起开动脑筋，思考这个重要问题。

过了一会儿，我看到泽克跪下来，手在平台上到处摸。"这儿应该有一个可以按下去的木栓。"他说。

"不会，木栓在上面。"我回答，伸手指指头顶的舞台。

"那就是个开关，或者拉手，或者按钮！"泽克的嗓门变得又高又尖。

"哪里？会在哪里？"我的声音跟他一样尖，一样的战战兢兢。

我们在黑暗中摸索，寻找可以推、可以拉或者可以扭的东西，想找到能升起平台让我们回到礼堂的机关。

急切地找了一会儿，我放弃了。

"我们被困在这儿了，泽克，"我轻轻地说，"我们出不去了。"

7 脱 困

"都怪你。"我说。

我不知道自己为什么要这样说，我猜，也许是吓昏了，自己都不知道自己在说什么。

泽克挤出一个笑容："嘿，我喜欢这儿，"他大吹牛皮，"我就是想在这儿待一阵子，你知道的，探探险。"他想表现得勇敢些，可是声音却又细又抖。

他别想蒙我，没门儿。

"你干吗把咱们俩带到这里来？"我嚷道。

"你自己要来的！"他吼了回来。

"我没有！"我尖叫道，"沃克尔小姐说过，这东西不安全！这回好了，我们今晚就得待在这儿了！也许待一辈子！"

"要是我们被老鼠吃了，就不用待一辈子了！"泽克开

起玩笑来。

"你的白痴笑话我听够了！"我大喊大叫，完全昏乱了。我两只手一起用力，狠狠地推了他一把，他跌出了平台。

这儿太黑了，有一会儿我都看不到他了。

"哇！"我一声惊叫，他也推了我一把。

然后我更用力地推他。

他又使出比我还大的力气来推我。

我跟跄着后退——碰到了一个像开关一样的东西，我的后背压到了它。

一阵很响的金属铿锵之声，差点儿吓得我魂飞天外。

"布鲁克——跳上来！快！"泽克尖叫。

平台开始上升，我跳了上去。

向上，向上，升得很慢，但很稳。

头顶的那一方亮光，越来越大，越来越亮，我们向礼堂升上去。

"啊！"平台猛晃一下，停住了，我不由得大叫一声。

"好样的，布鲁克！"泽克欢呼起来，拍拍我的背。

"先别忙着高兴，"我告诉他。我们还是没有回到舞台上。平台在离台面大约五英尺的地方停住了，就是沃克尔小姐掉下来的地方。

我猜，想让它全部升上去，唯一的办法就是踩台面的木栓。

"你给我垫一下。"泽克摩拳擦掌地说。

我窝起两只手，做成杯子的形状，他穿运动鞋的脚踩了上去。

"慢着!"他喊了一声，退了回来，"哇!如果幽灵就在上面等着我们怎么办?也许应该让你先上去!"

"哈哈。很风趣，"我眼珠一转，说道，"过会儿记得提醒我笑。"

"行，行，我先上。"他说道。

他的脚踩进我窝起的两只手掌心，伸手去够台面，我用力将他往上顶。

我看着他爬了上去，看不见了。

我等着他伸手下来拉我。

一分钟过去了。

"泽克?"这话从我嘴里吐出来，细得像蚊子叫。

我又等了一会儿，全神贯注地听着动静。

一点他的声音都没有。他去哪儿了?

"泽克?你在哪里?"我大声呼喊，"快来呀，把平台升起来，或者拉我一把，我一个人上不去。"

又是一分钟过去了，感觉就像一个小时。

突然，我明白了泽克的居心。

这个小丑!他想吓唬我!

"喂！玩够了！"我大喝一声。

这个泽克·马修斯，真让我受不了！

"泽克！"我大吼，"别闹了！让我上去！"

终于，他的手从边上伸下来。

"再不来你就死定了！"我大喝一声，朝他发火。

我抓住他的一只手，让他把我拉上台面。

我甩了甩头发，眼睛慢慢适应了亮光。"知道吧，这一点也不好玩！"我厉声说，"让我在下面等那么久，实在是……"

我住了口，用力吞唾沫。拉我出来的，不是泽克。

一对陌生的黑眼睛，对我怒目而视。

8 奇怪的守夜人

我用力咽着口水。一个陌生的小个子男人瞪着我，脸上怒气冲冲。他穿着肥大的灰短裤，一件松垮垮的灰色运动衫，领子是破的。

他有一头浓密的白发，乱糟糟地搭在前额上，像顶了个拖把。一边脸有一条深紫色的疤痕，几乎和泽克怪物面具上的一样长。

我看得出他很老了，但他非常瘦小，身材不比小孩子高，站在那儿，看上去只比泽克高个一两英寸。

他乜斜着古怪的灰眼睛看着我，脸上肌肉扭曲，狠狠地拧着眉毛。

他的模样就像个幽灵！这可怕的念头从我心里一闪而过。

"你……你是谁?"我结结巴巴地问。

"我是艾米尔，守夜人。"他嘶哑地说。

"我的朋友泽克去哪里了？"我的嗓门又高又细，惊慌不安。

"布鲁克，我在这儿。"泽克在我身后说道。

我转过身去，泽克站在活门的另一边。他咬着下嘴唇，两只手深深地插进牛仔裤口袋里。

"泽克！"我大叫，"怎么回事？为什么——"

"学校已经关门了！"守夜人粗声粗气地说。他的嗓音很沙哑，就像砂纸在摩擦。"你们俩在这里干什么？"

泽克和我交换了一个眼色。他上前一步。"我们……嗯……在排练戏剧。"他对那人说。

"没错，"我接口道，"我们排得很晚。"

守夜人又斜眼看着我，充满了怀疑。"排戏？"他说，"那其他人呢？"

我语塞了。这家伙吓得我够呛，我的腿直发抖。"我们本来已经走了，"我冲口而出，"但是又回来了，拿我的外套。"

在艾米尔身后，泽克朝我直点头，夸奖我假话说得好。

"你们是怎么知道有活门的？"看门人沙哑的声音问道。

我一时答不上来。很奇怪，以前在教学楼从来没有见过他，我心想。

"沃克尔小姐，我们的老师，告诉我们的。"泽克小声地答道。我看得出来，他和我一样害怕。

那个男人往我面前凑，眼睛斜得那么厉害，整张脸都往上扯了。"你不知道它有多危险？"他悄声说道。

他再凑近一些，近得我能感觉到他喷在我脸上的呼吸。他灰白的眼珠紧紧地盯着我的眼睛。"你不知道它有多危险？"

那天晚上，我和泽克通了电话。"那个人不是想警告我们，"我对泽克说，"他是想吓唬我们。"

"呃，他根本吓不着我，"泽克自吹自擂，"如果他让你难受了，我很同情你哦，布鲁克。"

嗬，哇塞，我心想，泽克有时候还真能装。

"如果你不害怕，为什么回家的时候，你一路上都抖得像筛糠似的？"我质问道。

"我那不是发抖，是在健身，"泽克搞笑地说，"你知道的啦，锻炼我的小腿肌肉。"

"算了吧你，"我受不了地说，"为什么我们以前从来没有见过那个守夜人？"

"因为他不是守夜人。他是……幽……灵！"泽克发出低沉恐怖的声音。

　　我一点都没笑。"严肃点，"我告诉他，"这可不是开玩笑。他真的想吓住我们。"

　　"但愿你不会做噩梦，布鲁克。"泽克哈哈笑着说。

　　星期二早上，我和弟弟杰里米一起去上学。我一边走，一边跟他说起那出戏。

　　我把故事讲给杰里米听，但活门的事就没有告诉他。沃克尔小姐说，要一直保密到演出那天。

　　"真的会很吓人吗？"杰里米问我。杰里米七岁，只要你呜地叫一声，他就会魂不附体。有一次，我带他去看《鬼驱人》。在那以后，连续三个星期，他每天晚上都会尖叫着从梦里吓醒。

　　"嗯，很可怕的，"我告诉他，"但没有《黑色星期五》可怕。"

　　杰里米好像放下心来。他真的很不喜欢恐怖的东西。到了复活节，他就躲在房间里不出来！我永远不会带他去看《黑色星期五》，不然的话，他的噩梦可能要一直做到五十岁！

　　"这出戏里还有一个让人大吃一惊的地方，"我又说，"很了不起的哦！"

　　"是什么？"杰里米急忙追问。

　　我伸手揉揉他的脑瓜，弄得他头发乱糟糟。他和我一样，有一头栗子色的褐发。"如果我告诉你了，"我故意拿腔拿调地说，"那就不惊人啦，是不是?"

"你说这话，就和妈妈一个样!"杰里米大叫。

真会侮辱人!

我把他送到学校，然后穿过马路去上学。在走廊上，我边走边想着自己的角色。埃斯美兰达有那么多台词，我都担心自己来不来得及背下来。

而且我还担心，我怯场的老毛病会不会再犯。去年，在演《美女与赌徒》的时候，我就怯场得厉害，当时还一句台词都不用说呢。

我走进教室，和几个同学打了招呼，然后走向自己的桌子——又停住了脚步。

"嗨!"一个从未见过的男孩坐在我的座位上。

他看上去挺可爱的，有深褐色的头发，明亮的绿眼睛，身上穿的是红黑两色的法兰绒松身衬衣，下面是黑色的运动长裤。

他坐在那儿，一副主人的模样，笔记本和书本放了一桌子，他自己则斜靠在椅子里，穿黑色运动鞋的脚搁在桌面上。

"你坐了我的座位。"我站在他面前说。

他抬起一双绿眼睛望着我。"不对，我没有，"他不在意地说，"这是我的座位。"

9 储物柜

"什么?"我说着,居高临下地看着他。

他的脸涨红了。"我想,是沃克尔小姐叫我坐这儿的。"他不安地东张西望。

我看到我的座位后面,还有一张空位。"她说的可能是那儿,"我伸手一指,"我在这个位置坐了一年了,旁边是泽克。"我指了指泽克的椅子。他不在,和平时一样,又迟到了。

男孩的脸涨得更红。"对不起,"他不好意思地小声说,"我真不喜欢当插班生。"他开始收拾桌面的书。

"今天是你第一天到这儿上学?"我问了一句,然后作了自我介绍。

"我是布莱恩·科森,"他答了一句,站了起来,"我家刚从印第安纳搬到伍斯密尔。"

我说我从来没有到过印第安纳，这么说挺没意思的，但这是事实。

"你是布鲁克·罗杰斯?"他问了一句，仔细打量我，"我听说你演主角，在校园剧里。"

"你怎么这么快就知道了?"我问。

"我在校车上听到有同学在议论。你一定很会演戏，嗯?"他又腼腆地说了一句。

"也许吧，我不知道。有时候我怯场得很。"我告诉他。

我不知道为什么会对他说这些。有时候我话匣子一开，就收不住。我猜，这也许就是爸爸妈妈叫我"小快嘴布鲁克"的原因。

布莱恩羞涩地笑了笑，又叹了一口气。"在印第安纳读书的时候，每一次的校园剧都有我，"他告诉我，"但我从来没有演过主角。真可惜，没能早一点搬过来，不然也许我有机会被选中，参加《幽灵》的演出。"

我试着想象布莱恩在舞台上表演的样子，但是想不出来。在我看，他不像是个会当众表演的人。他显得那么腼腆，脸一直红到现在。

但我决定，还是让这个可怜的家伙放松一点。"布莱恩，要不你下午跟我一起去排练?"我建议，"也许还能找到个小角色呢。"

163

布莱恩顿时眉开眼笑，好像我刚刚白送了他一百万块钱。"真的?"他问道，眼睛睁得大大的。

"当然，"我回答，"小意思。"

泽克溜进座位，瞄了一眼沃克尔小姐的讲台。"我迟到了吗?"他悄悄问。

我摇摇头，正想把他介绍给布莱恩认识。但沃克尔小姐已经走进教室，关上了门。这堂课开始了。

布莱恩匆匆走回自己的位置。我正想坐下，却陡地想起来，自然科学课的笔记本还在储物柜里呢。

"马上回来!"我对沃克尔小姐喊了一声，急急忙忙跑出门，拐了个弯，向着储物柜一溜小跑。

"咦!"我很吃惊，柜门半开着。

很蹊跷，我心想，明明是锁住的。

我把柜门拉开，伸手到里面去找笔记本。

然后倒抽了一口冷气。

里面有个人——他正死死地盯着我!

10 幽灵初现

他的脸上又蓝又绿，朝我龇牙咧嘴。

我又吸了一口气，伸手捂住了嘴巴。接着，我又憋不住，哧哧地笑了出来。

是泽克干的，那是他那只白痴怪物面罩。

"哼，这一次算是中了你的招，泽克!"我嘀咕了一句。

然后，我发现在面罩下面，垂着一张折叠的纸。是什么口信吗?

我拉出纸条，展开一看，上面用红色蜡笔潦潦草草地涂着一句话:

生人勿近我的家，甜蜜的家!

"哈哈，"我喃喃地说，"很好，泽克，很好笑。"

我拿出自然科学笔记本，关上柜门，锁好它，然后赶

165

快回到教室。

沃克尔小姐站在讲台后面，已经向大家介绍了布莱恩，现在正在读《校园晨讯》。我溜进泽克旁边自己的座位里。"一点都不可怕。"我说了假话。

他的眼睛从数学作业本上抬起来，看着我。泽克上课时，第一件事就是做数学作业。"嗯？"他露出一副清白无辜的表情。

"你的面罩，"我悄声说，"没吓着我。"

"面罩？什么面罩？"他学舌地说，一边用橡皮敲我的胳膊。

我推开他。"别装傻，"我尖刻地说，"另外，你留的小字条也不好玩儿，动动脑子，可以干得更漂亮些。"

"我可没给你留什么字条，布鲁克，"泽克不耐烦地说，"不知道你在说什么，真的。"

"当然啰，"我转着眼珠说，"我储物柜里的面罩和字条，跟你一点关系都没有，对不对？"

"别吵了，我还得写数学作业呢，"他说着，又低头去看作业本，"满嘴胡说八道。"

"噢，好啊，这样的话，是真正的幽灵干的喽。"我说。

他没理我，在作业本上鬼画符似的列着方程式。

真是鬼话连篇！我心想，就是泽克干的，他自己心里明白。

错不了。

放学后，我带着布莱恩到了礼堂。差一点要我动手拉他才上了舞台。他真的好腼腆！

"沃克尔小姐，还有没有空余的角色呢？"我问道，"布莱恩很想参加演出。"

沃克尔小姐正在看剧本，听到我的话，抬起头来。我看到她的剧本上写满了笔记。她认真地打量着布莱恩。

"真的很遗憾，布莱恩，"她摇着头说，"你来晚了几天。"

布莱恩又是满脸通红。真没见过像他这样的人，动不动就闹个大红脸。

"有台词的角色全都分配完了，"沃克尔小姐告诉他，"一个不剩。"

"有没有哪个角色要替身？"布莱恩问，"我记性很好，记得住好几个角色的台词。"

哇，我心想，他真的是很迷演戏呢。

"嗯，替角也够了，"沃克尔小姐对他说，"不过，我有个主意，如果你愿意的话，可以加入布景组。"

"太好了！"布莱恩欣喜若狂，叫了一声。

"到那边去找汀娜吧，"沃克尔小姐告诉他，指了指聚

在舞台后墙边的一群同学。汀娜正忙着指点大家摆放布景，指手画脚，把所有人都摆布得团团转。

布莱恩真的很开心，我看着他乐颠儿颠儿地跑过去找汀娜。

我在礼堂里找了个位置，专心地看剧本。几乎每一场都有我，那么多台词，怎么可能背得完？我叹了口气，懒懒地往椅背上一靠，把腿搭在前排座位上。

我在心里默记戏里的第三段台词，是这样的："你凭什么说这个男人很危险？"就在这时，礼堂所有的灯突然一起熄灭了。

漆黑一团！我什么都看不见。

同学们都在大叫大嚷："嘿！谁关的灯？"

"我看不到了！"

"怎么回事？快开灯！"

我坐直身子。这时，一声尖叫传来。

恐怖的叫声——像动物的号叫——冲破了黑暗，在礼堂上方回荡。

"不！不——"我听到科里·史科拉的哀叫。

有人在喊："是从布景通道上传来的！"

又是一声让人心胆俱寒的号叫，压过了同学们的惊呼。

"开灯啊！"我听到科里在哀求，"求求你——开灯！"

惊慌不已的叫喊声纷纷传来。"谁在尖叫?"

"来人啊——想想办法呀!"

"上面的布景通道上有人!"

长长的一声号叫，再次从舞台上方传来，我不由得抬起双眼。

我看到了他。一个戴着蓝绿面罩的东西，披着亮闪闪的黑色斗篷。

他抓住一根长长的粗绳子，从高高的布景通道上纵身荡了下来。

身在半空时，他仰起头，发出恐怖而邪恶的笑声。

我跳起来，惊愕地瞪着他。

幽灵现身!

11 幽灵消失

幽灵着地，重重地踩在舞台上，发出砰的一声。

他松开手，绳子又荡开了。

蓝绿色的脸迅速地在舞台上打量了一圈。汀娜和她的布景队僵直地站在墙边，惊恐万状地看着他，连大气都不敢出。沃克尔小姐好像已经被吓糊涂了，两条胳膊紧紧地抱着胸口。

幽灵抬脚重重一跺台面，斗篷在他身后扬起。

我站在观众席的第二排，从下面看上去，发现他很矮，大概只有泽克那么高，也许还高那么一两英寸。

也许他的身高和泽克一模一样——因为他就是泽克！

"泽克！嗨——泽克！"我大喊。

戴面具的丑恶面孔望向观众席，身子却慢慢下沉。他的双脚不见了，然后是穿着黑裤子的双腿，他不断下沉。

原来他踩了那个木栓，启动了活门。

"泽克！"我大叫一声，冲出通道，爬上舞台，"泽克——这不好玩儿！"我喊道。

但幽灵已经消失在台面下。

我冲到舞台上的空洞边，往黑糊糊的下面看去。沃克尔小姐走到我身旁，怒容满面。"是泽克吗？"她问我，"真的是泽克吗？"

"我……我不能肯定，"我口吃地说，"我猜是他。"

"泽克！"沃克尔小姐冲着洞口喊，"泽克——你在下面吗？"

没有声音。

平台一直降到了最底下，除了深不见底的漆黑，我什么都看不到。

同学们围在洞口，唧唧喳喳地说个不停，互相取笑。"是泽克吗？"我听到科里问，"泽克又戴上那个无聊的面罩了？"

"泽克是不是故意搞破坏？"沃克尔小姐生气地问，"难道他觉得，我们每天下午不吓一跳，就没法过日子了？"

我耸耸肩，回答不了这个问题。

"也许不是泽克。"我又听到科里说。他的语气充满了畏惧。

171

"不是他还有谁。泽克——你在吗?"沃克尔小姐双手拢在嘴边喊道。她慢慢转过头来,视线扫过舞台,又扫过礼堂的观众席。"泽克·马修斯? 听到了吗?"

没有回答。没有泽克的影子。

"他是你的朋友,布鲁克,"汀娜不怀好意地说,"你不知道他在哪里吗? 你不能告诉他,不要再捣乱了吗?"

我气急败坏地说了些什么自己都不记得了,实在是太生气了。

泽克是我的朋友,但他做什么我管不着!

汀娜只不过是想把我拖下水,同时在沃克尔小姐面前表现一下。

"好了,布景组,"沃克尔小姐下令,"回去工作,这儿我来处理。其余的人……"

响亮的金属摩擦声响起,她停住了嘴,我们都听见了。

很响的嗡嗡声又盖过了金属声。

"活门——升上来了!"我大叫,伸手一指。

"好。"沃克尔小姐说着,又抱起了胳膊。她眯缝着眼睛,盯着台面的洞。"现在,我会让泽克知道,我们对他的小玩笑有什么感受。如果非要我评论一下的话,我要说,这会是他的最后一个小玩笑!"

噢,不好,我心想,可怜的泽克。

沃克尔小姐确实是一个很好的老师，还是个很和蔼可亲的人——只要你不惹到她的话。一旦你惹急了她，一旦你让她动了真气，一旦你做的事让她抱起胳膊眯着眼睛看你——那你就完蛋了。

因为她会变得很可恶。

我知道，泽克就是想逗个乐子。他喜欢引起大家的注意，还喜欢吓唬别人，特别是吓唬我。

对他来说，就像是个游戏。他想让大家知道，你们都是胆小鬼，就他不是。

泽克总是爱玩这种游戏。

但这一次，他引火烧身啦，他做得太过分了。

沃克尔小姐现在正等着他呢，抱着胳膊，眯着眼睛。

她会把他从戏里扔出去吗？我不知道。或者，她只是朝他大吼大叫，叫得他耳朵都卷成一团？

嗡嗡声更响，台面震动。

我们都听到了平台停住的声音——还是在台面以下五英尺的地方。

可怜的泽克，我心想，他还没事人一样站在里面呢，还不知道自己已经大难临头。

可怜的泽克。

我往洞口一瞧——愣住了。

12 幽灵再现

平台上是空的。没有人。

泽克——不管是不是他——让平台空着上来了，自己却躲进学校地下深处的漆黑通道里。

泽克不会这样做，我告诉自己。就算是泽克，也不会疯狂到一个人走进那么黑的地方，既没有电筒，又完全不了解里面的情况。

他会吗？

啊，他会的。我自己回答了这个问题。只要真的能让我们吓破胆，泽克什么事都肯做！

沃克尔小姐中断了排练。她叫布景组留下，画布景幕，叫其余的人回家研究自己的角色。

"等我找到泽克，要和他好好谈一谈。"她说着，转身快步走出了礼堂。

我慢慢地走回家，路上一直在想着泽克的事，想得那么专心，甚至走过了家门都不知道！

往前一看，泽克妈妈的那辆红色的庞蒂克正驶上他家的车道。我用手在眼睛上搭个凉篷，遮挡下午的阳光，看到马修斯太太正从车里下来，然后泽克从另一边钻了出来。

"嗨！泽克！"我一边跑过草坪，一边大喊，"泽克！"

他妈妈朝我挥挥手，然后进了家。泽克看到我，好像很意外。"排练结束得这么早？"他问。

"是啊，还不是多亏了你。"我说。

"啊？"他又在我面前摆出一副无辜的表情，"我干什么了？"

"你吓不着我，泽克，"我告诉他，"谁都不觉得好玩儿，这回好啦，沃克尔小姐准备要让你大吃苦头呢。"

他眯起眼睛，皱着一张脸，装起糊涂来。"你说什么啊，布鲁克？我吃什么苦头？我都没去礼堂！"

"你在那儿待得够久的啦。"我对他说。

他摇了摇头，脸上的雀斑颜色更深了，金色的头发被风吹得一掀一掀的。"没有啊，我没去，"他很心平气和地说，"我跟沃克尔小姐说过不去的，今天早上，我跟她请了假。"

"这样你就有机会，戴上面具，披上斗篷，从布景通

道上面飞下来？"我怀疑地说。

"不是，我告诉过她，我约了牙医。"

我震惊地看着他，嘴巴都忘了合上。

"你怎么了，布鲁克？"他问道，"我没什么大事，就是检查检查。"

"你……你真的没去学校？"我结结巴巴地说。

他摇摇头："没有。"

"那，那个幽灵是谁？"我的声音细不可闻。

一丝怪笑出现在泽克的脸上。

"是你！"我气愤地叫起来，"你先假扮幽灵，然后再去看牙医！是不是，泽克！是不是！"

他只是笑，什么也不回答。

第二天下午放学后，我和布莱恩一起往礼堂走。他身穿纯白色的 T 恤衫加黑色马甲，下面是一条退色的牛仔裤，看起来很帅。"跟汀娜相处得还好吗？"我问。

"还行，我想，"布莱恩回答，"她有一点点喜欢支使人，不过，还是挺放手让我设计布景幕的。"

我挥挥手，和放学回家的同学打招呼。然后我们转了个弯，看到科里和汀娜走进礼堂。

"泽克过了沃克尔小姐那一关了吗？"布莱恩问道，"我看到她今天早上找泽克谈话了。"

"也许吧,"我回答, "她还是让泽克接着演这出戏——暂时是这样。"

"你觉得,昨天那场表演是泽克干的吗?"布莱恩问道。

我点点头。"我想是他。泽克最喜欢装神弄鬼了,从小就这样。我觉得他是想吓唬我们,想让我们以为,学校里真的有幽灵。"我朝布莱恩微微一笑, "但是,我可不是那么容易被吓住的!"

排练很快就开始了。沃克尔小姐把我和泽克叫上台,让我们一起把其中一场随便演一遍,她要让我们知道,说每句台词时应该站在哪个位置,她管这个叫"走位"。

她还把汀娜·波薇儿和罗伯特·赫南德兹叫了上来。罗伯特是泽克的替角。沃克尔小姐说,他们也要熟悉走位,以防万一。

以防万一?我在心里琢磨着这句话。然后我想起汀娜的警告: "演出那天万一你病了,或者有别的什么事,我就演你的角色。"

嗯,汀娜,我不想令你失望,我悄悄对自己说,但是我一定会好好保重。所以呢,你还是尽情享受画布景的乐趣吧,这可是你唯一的上台机会噢。

我知道,我知道,这么想有点儿卑鄙。但对汀娜就该这样。

沃克尔小姐告诉泽克应该站在哪儿，我和汀娜退到舞台侧面，等着上台。

　　"沃克尔小姐和泽克的事已经解决了吧，"汀娜说，"我听见他对她说，他去看牙医了，所以从天花板上荡秋千下来的不可能是他。"

　　我正想叫汀娜安静点，不要影响我上台。但已经来不及了，沃克尔小姐已经在叫我的名字。

　　"布鲁克·罗杰斯！"她生气地说道，"在那儿干什么？你该上台了！"

　　"多谢你，汀娜！"我不出声地说了一句，跑上台去。回头一瞥，汀娜正偷笑呢。

　　真是不敢相信！汀娜故意让我错过上台时机！

　　在台上，我不知道自己应该站在哪儿，甚至连正在演哪一场都不知道。

　　下一句应该说什么？

　　我想不起来。

　　慌乱中，我望向观众席上的同学们，他们正眼睁睁地看着我，等着我开口。

　　我张开嘴，但什么都没说出来。

　　"台词是：'下面有人吗？'"汀娜大声地从后台喊出来。

　　啊，哇塞，我不高兴地想，汀娜会想尽一切办法，让我出丑！她一心盼着沃克尔小姐把我踢出这部戏。

我气坏了，气得脑子都昏了，乱成了一锅粥。我跟着说了一遍台词，然后做了个深呼吸，定了定神。

下一句台词是泽克的，他要出现在舞台上，把埃斯美兰达吓得惊慌失措。

但泽克不在台上，哪里都看不到他！

我看看礼堂，沃克尔小姐站在台下，双手叉腰，脚尖不耐烦地轻轻点着地板。

礼堂里一片安静，只有那个声音：嗒，嗒，嗒，嗒，嗒。沃克尔小姐已经很恼火了。

"泽克在哪里？"她厌烦地问，"他在干什么？还想全副武装，从布景通道上飞下来吗？"

本来，我应该猜得到泽克想干什么，但没等想清楚，就听到了熟悉的声音。金属摩擦声，随后是嗡嗡声。

那个平台！它正在往上升！

我叹了口气。"泽克来了。"我对沃克尔小姐说。

片刻之后，泽克的蓝绿色面罩出现了。

我后退一步，看着他从舞台底下冒出来。这情景叫人生畏，很有戏剧效果。

慢慢地，他上来了，从台面上一点一点现身。

他升到了头，然后一动不动地站在那儿，站了好久，望着礼堂，好像在摆造型。他穿着全套的戏服：面罩，裹到脚面的黑斗篷，黑衣黑裤。

太夸张啦！我心想。这个人真是超级喜欢当焦点，喜欢人家当他是大人物！

然后，他向我走来，没声没息地迈着大步走过来。在面罩背后，他抬起眼睛望向我。

我拼命在想下一句台词是什么。

但没等我开口，他已经两只手抓住我的肩膀，狠命地摇着，太用力了。

放松一点，泽克，我心想，这不过是排练。

"走开！"他压低的声音里，充满了怒气。

我想起了该说什么，张开嘴正想说……

然后就呆呆地定住了。

我看到有一个人，在舞台侧边向我打手势。

发狂一样地打着手势。

是泽克！

13 幽灵的警告

我知道这下麻烦大了。

如果泽克站在那儿，那么这个摇着我的肩，透过狰狞的面罩朝我龇牙咧嘴的人——是谁？

"救命！来人啊——救命！"我尖叫，用力挣扎。

"错了，布鲁克！"沃克尔小姐冲我大喊，"台词是，'救命，救救我，父亲。'"

她领会错了。

难道她就看不出来，上面有个真正的幽灵，就快把我摇散了架？

突然，幽灵俯下戴面罩的脸，在我耳边嘶声低语："生人勿近。生人勿近我的家，甜蜜的家！"

我瞪着他的眼睛。

看上去似曾相识。

他是谁？我以前肯定见过他。

没等我想起来，他转身就跑，飞身跳下舞台，箭一般冲过长长的走道。一路跑，他的斗篷一路在身后翻飞。

我惊魂未定，眼睁睁看着他消失在礼堂大门外。

有些同学笑了起来。我听到汀娜对人说："剧本里有这一场吗？"

泽克跑到我身边："布鲁克，你还好吗？"

"我……我不知道。"我回答道，只觉得站都站不稳。

"太诡异了！"泽克说。

沃克尔小姐大步走过舞台，手里的夹纸板一甩一甩的。她的表情充满困惑。"谁能解释一下，到底是怎么回事？"她问。

"学校里有个真正的幽灵！"泽克轻声地说着，半眯着眼，若有所思地看着我。

我们坐在礼堂的前排。布莱恩低头刮着手背上一块黑色的颜料，我坐在两个男孩中间，仔细盯着泽克看。

灯光已经调暗，排练刚刚结束。走廊上有一点声音传了进来，沃克尔小姐出去后关上了门。

"你干吗这么盯着我？"泽克问。

"我还在怀疑，你是不是真的和每件事都没关系。"我老实告诉他。

他眼珠一转。"嗯，当然了，"他说，"我怎么可能同时出现在两个地方呢，布鲁克？你说说看。这个难度太大了，就算我这样聪明绝顶的人，也难做到！"

我笑了。"这是可能的。"我回答。

"我弄不掉这颜料，"布莱恩在一旁抱怨，"瞧，我衣服上也有。"

"这颜料可以用水洗吗？"泽克问。

"我怎么知道？"布莱恩闷闷不乐地回答，"我没看罐子上的标签。你平常会看罐子外面的标签吗？"

"泽克只看麦片盒子。"我调侃地说。

"你们别开玩笑了好不好？"泽克不耐烦地说，"学校里真的有幽灵，而且不知道为了什么，他想搞砸我们的演出。"

我还在对泽克察言观色，看他是不是在说真话。"我看到你今天早上上课前，在和安迪·希思说话，"我对泽克说，"也许你跟他是同谋。你把服装给了安迪，对不对？你教他怎么做，你和安迪一起策划了整件事，是不是？"

泽克张大了嘴："啊？我为什么要这样做？"

"吓我呗，"我回答，"吓唬大家。想让我们以为学校里真的有幽灵，等我们吓得要死了，你就在一旁哈哈大笑，说'你们上当啦'，让我们觉得自己是大笨蛋。"

泽克的脸上掠过一丝微笑。"我真该早点想到这个，"

他喃喃地说，"但我是说真的，布鲁克。我知道你不信，但我真的没有和安迪一起策划什么。而且，我也没有……"

汀娜从舞台上蹦下来，我估计她是一直在幕布后面准备布景。"感觉好点了吗，布鲁克?"她冷冷地问。

我转头去看她："什么感觉好点了吗? 我很好啊，你是什么意思?"

"你在舞台上的时候，好像已经顶不住了，我以为你病了，"汀娜的口气很讨厌，"你不是得了流感吧? 我听说最近流感闹得很凶。"

"我没事。"我淡淡地说。

"这个印子洗得掉吗?"布莱恩问汀娜。

汀娜耸耸肩。"不知道，试试用松节油来洗。"她微笑着对布莱恩说，"你在后台的表现很好啊。"然后，她又扭过头来看着我，脸上的笑容不见了，"至少，有人在这出戏里表现得很好。"

没等我说什么，她转身就走了，迅速地穿过走道，走出了礼堂大门。

"她求神拜佛地盼着我得流感呢，"我对泽克说，"是不是好变态?"

他没搭话。他正在用心想着幽灵的事，可能根本没听到我在说什么。

"你想想，这些可怕的事，会不会是汀娜干的?"我问道，"把我吓跑，她好演埃斯美兰达。"

"太疯狂了。"泽克轻声回答。

"嗯，我想也是。"

布莱恩一直在用力擦手上的颜料。

"回家吧，"我提议，"很晚了，晚些时候我们再聊幽灵的事吧。"我站起身来。

泽克仰起脸看着我。"你还是不相信我……是不是！"他不满地说，"你还是认为，这些都是阴谋，就是想吓唬你。"

"也许是，也许不是。"我边回答，边从他腿上跨过去。我真的想不清了。

布莱恩站起来，跟着我向门口走去。我回头看看泽克，他还坐着不动。"你走不走？要不要跟我们一起走？"

泽克没说什么，站了起来："哎，好的。"

我们来到走廊，向各自的储物柜走去。走着走着，泽克突然停了下来。"啊，我忘了。"他说。

"忘了什么？"我问道。已经快到晚饭时间了，我急着回家。妈妈可能已经在担心，我会不会是被车轧了什么的。妈妈总是想象我被车轧，我不太明白这是为什么。我认识的人里面，还从来都没有被车轧过的！

"我的数学书，"泽克说，"有天晚上我把它落在礼堂了，我得去学校办公室一趟，看看有没有人捡到了交上去。"

"下次见。"布莱恩边说边走了。

"你住哪儿?"我朝他喊。

他伸手指了个方向。南边,我心想。"明天见!"他转过身,小跑着拐了个弯,走了。

我跟着泽克来到利维先生的办公室。灯全开着,但办公室里只有秘书多特。她正在关电脑,准备下班回家。

"有没有人上交我的数学书?"泽克靠在柜台上问。

"数学书?"她边想边认真地看着泽克。

"有一天晚上我把它落在礼堂了,"泽克说,"我想,也许那个叫艾米尔的会捡到交上来。"

多特露出迷惑的表情:"谁?艾米尔是谁?"

"你知道的啊,"泽克回答,"那个白头发的小老头,守夜人。"

多特摇摇头。"你搞错了,泽克,"她说,"学校的职员中,没有一个叫艾米尔的,也没有守夜人。"

14 夜探礼堂

那天晚上，汀娜·波薇儿给我打来电话。"没别的事，就是想看看你怎样了，"她说，"你的脸色很苍白，布鲁克。"

"我没得流感！"我叫了起来。我真的冷静不下来，忍不住了。

"我昨天听到你打了好多喷嚏。"汀娜装出很关心的样子。

"我的喷嚏一向很多，"我回答道，"再见，汀娜。"

"今天下午，跳上台的那个幽灵是谁？"汀娜不等我挂断电话，追着问道。

"我不知道，"我说，"我真的……"

"真的挺可怕的，"汀娜打断了我，"我希望你没有被吓坏，布鲁克。"

我不等她再说什么，就放下了电话。汀娜真讨厌，我想。

她到底有多想演埃斯美兰达？我很想知道。

她有多想要这个角色？足够让她想方设法吓跑我吗？

后来，泽克也打电话来，跟我说艾米尔一定是那个幽灵。"他骗了我们，对不对？"泽克热切地说，"他说他在学校工作，他还想恐吓我们，一定是他。"泽克很肯定。

"啊，也许吧，"我边转着手上的发圈边回答。

"他的身高也对，"泽克继续说，"他也知道活门。"泽克吸了一口气，"还有，为什么他会在那儿，布鲁克？为什么他晚上还出现在礼堂？"

"因为他是幽灵？"我问。

有道理。

我答应了泽克，第二天早点上学，跟沃克尔小姐说说艾米尔的事。

那天晚上，我梦到了这出戏。我穿着戏服在舞台上，射灯照着我，我看看观众席，满满的全是人。

礼堂里很安静，大家都在等着埃斯美兰达说话。

我张开嘴——发现自己忘了词。

我盯着观众席上的一张张面孔。

我什么都不记得了—— 每一个字，每一段词。

记忆里的台词全都飞走了，就像鸟儿离了窝。

我的鸟窝是空的，我的脑子里一片空白。

我惊慌失措地站在台上，既不会动，也不会说话。

我醒了过来，冷汗直流，全身都在发抖，全身的肌肉都像打了结一样，被子已经被我踢到了地板上。

好可怕的梦。

我只想马上穿好衣服，回到学校，尽快忘记这个可怕的噩梦。

我要送杰里米上学，所以不能像原来打算的那样早点到学校。

杰里米问个不停，总想多打听一点关于幽灵的事。但我真的没心情聊这个。昨晚的梦总是缠着我，让我想起在三百名观众面前出丑的恐慌。

我把杰里米送到之后，急急忙忙穿过马路。泽克在大门口等着我，正不耐烦地看着他的手表。

我不知道那表有什么好看的。它的时间都没调对。这个表是所谓的数码表，上面足足有十七个按钮，泽克根本不知道怎么调时间。他会用它玩游戏，还能用它播放几十首不同的歌曲，可是他就是不懂怎么调时间。

"不好意思，我迟到了。"我说。

他抓住我的胳膊，把我拉进教室，连从储物柜里拿书和脱外套的时间都不给我。

我们直接走到沃克尔小姐面前，她坐在讲台后面，浏览《校园晨讯》。看到我们，她露出微笑，但再看到我们郑重其事的表情，微笑就慢慢地收回去了。

"出什么事了吗?"沃克尔小姐问道。

"我们能和你谈谈吗?"泽克小声说着，瞄了一眼已经到校的同学，"私底下谈?"

沃克尔小姐抬头看看墙上的钟："能等等吗? 再过两分钟，上课铃就响了。"

"只要一分钟。"泽克许诺。

她跟着我们来到走廊上，背靠着瓷砖墙："什么事?"

"学校里有幽灵，"泽克屏着气告诉她，"真正的幽灵，布鲁克和我都看到了。"

"哇!"沃克尔小姐嘀咕了一句，举起两只手，意思是说：别再说了。

"不! 是真的!"我坚持地说，"我们真的看到他了，沃克尔小姐，就在礼堂里，我们俩偷偷溜进去，想玩那个活门，然后……"

"你们干了什么?"她叫起来，眯缝着眼睛，一会儿看我，一会儿看泽克。

"我知道，我知道，"泽克说着，脸红了，"我们不应该这样，但这不是问题的关键。"

"那儿有幽灵，"我说，"他不想让我们演这出戏。"

"我知道，你认为那些事都是我干的，"泽克接着说，"但不是我，是幽灵，他……"

沃克尔小姐的手又举了起来，她刚要说什么，上课铃响了——就在我们头顶。

我们都举起手捂耳朵。

等铃声终于停下来，沃克尔小姐朝教室门口走了几步。里面乱哄哄的，同学们趁她不在闹翻了天。

"我很抱歉，我讲的故事让你们受惊了。"她对我们说。

"啊?"泽克和我同时吃了一惊。

"我真不该讲那个古老的幽灵故事，"沃克尔小姐心烦意乱地说，"好多同学都受了惊。我很抱歉，吓到你们了。"

"可是你没有呀!"泽克反驳说，"我们看到一个家伙，还……"

"你是不是梦见幽灵了?"沃克尔小姐问。

她根本不相信我们，我们说的话，她一个字都不信。

"听着……"我开腔道。

哗啦一声，什么东西被打碎了，我们三个人都被吓了一跳，紧接着教室里面爆发出一阵放肆的大笑。

"进去吧，"沃克尔小姐说完，伸手一指泽克，"别再开玩笑了……好吗? 别再开玩笑。我们都想演好这出戏，

191

不是吗?"

不等我们回答,她转身匆匆进了教室。

"我在这儿干什么?"布莱恩抱怨地说。他打着寒战,抬头看着黑森森的树顶。"我干吗要做这种事?"

"你肯来,是因为你爱帮助别人。"他穿着毛衣,我拍拍他的肩说道。

"不是,是因为我是个大白痴!"布莱恩纠正我说。

这是泽克的主意。吃完晚饭后,他来我家,我对爸爸妈妈说,我们要排练。假话啦。

然后,泽克和我往学校走,在门前的路上和布莱恩碰了头。他答应在那儿等我们的。

"真不敢相信,沃克尔小姐居然不相信我们。"泽克恼火地说。

"这么古怪的事,要是换了是你,你会相信吗?"我说。

"好吧,那我们就自己去把幽灵找出来,证明我们是正确的,"泽克下定决心地说,"现在,已经没别的办法了。如果沃克尔小姐不帮忙,我们就自己动手,把他揪出来。"

"你就是想找点刺激而已。"我取笑他。

他逼视着我:"哼,布鲁克,如果你害怕了……"

"可是我来干什么?"布莱恩又问,一面紧紧盯着黑沉沉的教学楼。

"能找到的帮手,我们都需要!"我告诉他,然后在泽克身上推了一把。"走吧。到底谁怕,谁不怕,我们走着瞧。"

"我好像有一点害怕,"布莱恩承认道,"如果我们被抓住了怎么办?"

"谁会来抓我们?"泽克问他,"你知道多特在办公室里说什么了,晚上学校没人看。"

"可是,如果有警铃之类的东西呢?"布莱恩问,"你知道的,防盗装置。"

"那还用说,"我眼珠一转,说道,"咱们学校连卷笔刀都供应不起!更别提什么防盗装置了。"

"嗯,我们得硬闯进去,"泽克安静地说着,眼睛盯着街道。一辆客货车经过,没有放慢速度。他又用力拉拉大门,说:"锁得很紧。"

"也许有侧门?"布莱恩提醒。

我们溜到大楼侧面。眼前是运动场,静悄悄的,一个人都没有。在明亮的月光下,玻璃好像银子一样,闪闪发亮。

侧门也锁了。

我抬头看看楼顶。大楼耸立在我们面前,活像一头黑

色的巨兽。到处黑灯瞎火，只有窗户反射着雪亮的月光。

"嘿——那扇窗没关!"泽克小声说。

我们飞快地跑过去，一楼有间教室半开着一扇窗。我看出来，这是家政课教室。我们那天下午烤松饼，弄出很可怕的气味来。沃克尔小姐可能故意打开窗，好让味道散出去。

泽克双手扒住窗台，翻了上去。他坐在窗台上，把窗户推开。

片刻之后，布莱恩和我跟着他，跳进了家政教室。松饼烤焦的香味还残留在空气中，我们踮着脚，摸黑走向门口。

"啊!"我的大腿撞到一张矮桌上，不由得叫出了声。

"安静!"泽克责备地说。

"嘿——我又不是故意的!"我气愤地顶了他一句。

他已经走出门口。布莱恩和我跟在后面，走得很慢，很小心。

走廊里比教室还要黑。我们沿着墙边，向礼堂走去。

我的心跳得厉害，觉得好刺激。我的鞋子在硬硬的地板上发出很大的响声。

没什么好怕的，我自言自语，不就是教学楼吗，你已经来过一百万次了，现在一个人都没有。

只有你、泽克、布莱恩，和一个幽灵。

一个不想被人发现的幽灵。

"我不喜欢这样，"我们转过一个墙角，布莱恩小声说，"我真的怕了。"

"假装你是在一出恐怖电影里好啦，"我告诉他，"假装只是演电影。"

"可是我不喜欢恐怖电影!"他不同意。

"嘘——"泽克发出警告。他突然停下脚步，我收不住脚，撞到他身上。"别这么笨手笨脚的，布鲁克。"他低声说。

"别看什么都不顺眼，泽克。"我凶巴巴地回答道。

我在黑暗中仔细分辨，我们已经到了礼堂门前。

泽克拉开身旁最近的一扇门，我们一起往里面张望。一片黑暗，礼堂里的空气特别凉。

冰凉而又潮湿。

这是因为，有一个鬼魂住在里面，我心想。

这个念头让我的心跳得更欢。我真希望能管住自己胡思乱想的脑子。

泽克在墙壁上摸索，打开了一排灯，在我们左边的座位上方亮着。有人在墙边留下一架梯子，几个颜料罐在梯子边摆成一排。

"把灯全开了好吗?"布莱恩建议。听他的语气，好像真的吓得不轻。

"不行，"泽克回答，看着舞台，"我们要给幽灵来个突然袭击，不是吗？不能提醒他，我们已经来了。"

我们聚在一起，慢慢从中间的过道向舞台走去。在昏暗的光线下，一排排座位笼罩在阴影里。

鬼影，我心想。

舞台边那个影子是在动吗？

没有。

别这样，布鲁克，我批评自己，别乱发挥你的想象力，今晚可不行。

我们慢慢向前走，我的眼睛一直在来来回回地扫视，仔细留意着舞台和一排排座位。

他在哪里？我心想，幽灵在哪里？

他在舞台下面，地底深处的黑暗地下室里吗？

有声音传来，我们离舞台只有几步远的时候听到了。

脚步声？木地板嘎吱一响？

我们三人都停了下来，全都听见了。

我抓住泽克的胳膊，布莱恩大大地睁着一双绿眼睛。

然后又听到了声音，一声咳嗽。

"这儿……还有别人。"我连句子都说不完整了。

15 生人勿近

"谁……谁在那儿?"我想大声说,但声音堵在嗓子眼儿里。

"上面有人吗?"泽克冲着舞台喊。

没有回答。

又是脚步声。

布莱恩退后一步,抓住椅背不放。

"他回来了,"泽克靠近我,兴奋得两眼放光,"我知道他回来了。"

"哪里?"我问道,好不容易才说得出话。心堵在嗓子眼儿里,说一句话可不容易。

我抬头看着舞台,什么人都看不到。

又一声咳嗽,我跳了起来。

随后,金属铿锵之声在舞台上响起,回荡在礼堂里。

一开始，我还以为活门就要启动了。

有人搭着平台上来吗？幽灵就要在我们面前露头了？

不是。

做背景的幕布慢慢打开，我失声叫了出来。

金属声更响了。舞台深处，布景幕越来越低。

"谁干的？"我小声问，"到底是谁把它放下来的？"

泽克和布莱恩直愣愣地往前看，谁也没回答。

泽克大张着嘴，眼睛一眨不眨。

布莱恩抓着椅背，两只手都用上了。

彩绘的布景幕当啷啷地垂下来，一边下降，一边慢慢展开。

看到那上面的东西之后，我们三个人不约而同地，倒吸了一口冷气。

本来它画的是剧院的灰色砖墙。布莱恩和另外几个同学已经忙了好几天，在上面画草图，然后一块砖一块砖地描颜色。

"谁……谁把我的画弄成了这个样子？"布莱恩大喊一声。

泽克和我还在盯着幕布，一言不发，满怀恐惧。

灰墙已经被涂上了红色颜料，尽是斑点和粗粗的红线条。

就好像有人拿一把宽刷子，深深地蘸进红色颜料里，在背景墙上又涂又戳。

"全毁了!"布莱恩尖声叫道。

泽克第一个行动。他双手扒住台面,翻身上了舞台。布莱恩和我跟着也上去了。

"谁在这儿?"泽克双手拢在嘴边扬声问道,"谁在这儿?"

沉默。

有人在这里,我知道,一定有什么人,放下幕布让我们看。

"谁在这儿? 你是谁?"泽克不停地问。

还是没有回音。

我们聚拢来,一起往前走,走得很慢,互相挨得紧紧的。

随着我们走近,一段话赫然闯入眼帘。上面的字母挨挨挤挤,浓稠的红色颜料,涂满了整个幕布的下半截。

我停下来,在昏暗的灯光下,仔细看那句话:

生人勿近我的家,甜蜜的家!

"哇塞,"我喃喃地道,一股凉气沿脊椎骨往下钻。

然后,我就听到侧门被打开的声音。

我们三人一齐扭头,看到一个身影走进礼堂。

看清了来人,我们不由得齐声惊呼。

16 失望的沃克尔小姐

她目瞪口呆地看着我们，连连眨眼，好像不敢相信眼前的一幕。

"我……我太震惊了。"终于，沃克尔小姐说道。

我用力咽咽口水，努力想说点什么，但一点声音都发不出来。

泽克和布莱恩也跟我一样，呆得动不了。

"你们三个，太令我失望了，"沃克尔小姐说着，走了过来，"强行入侵公共场所是很严重的犯罪，你们三人没有……"

她的视线落在布景幕上，顿时停住了脚，像被掐住脖子一样，嘴里发出咯咯的声音。一开始，她只看到我和泽克、布莱恩在舞台上，光顾着吃惊，没看到幕布——现在看到了。

"啊，不！啊，天哪！"她用两只手捂着脸，连声叫喊起来。她的身子摇摇晃晃，好像就要一头栽倒了！

"你们怎么可以这样？"她喘息着问，快步穿过舞台，眼睛一直盯着被涂坏的幕布，"你们怎么敢毁了它？同学们那么多天的辛苦工作，你们怎么能这样破坏大家的心血？"

"我们没有。"泽克静静地说。

"不是我们干的。"我也说。

她用力地摇着头，就好像想把我们从这儿甩飞出去。"恐怕你们这回，是给我抓了个正着。"她语气很平静，甚至可以说是伤心。我看到她的眼里闪着泪花。

"沃克尔小姐，真的……"我开口说。

她手一扬，制止了我。"你们的小玩笑就那么重要？"她问道，声音在发颤。

"沃克尔小姐……"

"让大家相信有幽灵就这么重要？重要得让你们偷偷闯进学校——犯下重罪——然后彻底毁掉这出戏的布景？你们的玩笑就这么重要？"

"我们真的没有干。"我辩解道，声音也是颤抖的。

沃克尔小姐走过来，伸出手指，在布景幕的红点上一擦。等手指拿开的时候，上面已经沾了红色颜料。

"颜料还是湿的，"她说，谴责的眼神深深地烫进我的

眼底，"这里没有其他人。你们的谎话打算说到天亮吗？"

"如果你给我们一个机会……"泽克想分辩。

"我尤其对你感到失望，布莱恩，"沃克尔小姐摇着头，眉头紧锁，"你来这所学校，差不多才一个星期，原本应该拿出最好的表现。"

布莱恩的脸涨得那么红，我这辈子没见过哪个人可以比得上他。他垂下眼睛，好像做了错事似的。

我深吸一口气。"沃克尔小姐，你必须听我们解释！"我尖锐地说道，"真的不是我们干的！我们来的时候，它就是这样了！真的！"

沃克尔小姐张了张嘴，想说什么，但转念又改了主意。"好吧，"她交叠双臂，抱住消瘦的胸膛，"说吧，但我要听真话。"

"绝对真话。"我说着，举起右手，像发誓一样，"布莱恩、泽克和我，确实是溜进了学校，我们没有强行闯入，是从窗户爬进来的。"

"为什么？"沃克尔小姐厉声质问，"你们在这里干什么？为什么不好好在家待着？"

"我们来找幽灵。"泽克插了句嘴，用手将一头金发往后捋。他一到真正紧张的时候，就会这样弄头发。

"今天早上，我们跟你说了幽灵的事，但你不相信。"

"我当然不会相信！"沃克尔小姐说，"那只是一个古老的传说，只是一个故事。"她蹙着眉头，看着泽克。

泽克无可奈何地叹了口气："我们看到幽灵了，沃克尔小姐。布鲁克和我一起，我们亲眼看到他。就是他把幕布画得乱七八糟，不是我们。排练时从天花板上荡下来抓住布鲁克的，也是他。"

"我为什么要相信这些？"沃克尔小姐接着问，继续抱着两条胳膊。

"因为这就是真话，"我说，"泽克、布莱恩和我……我们是来找幽灵的。"

"你们想去哪里找他？"沃克尔小姐问。

"呃，"泽克有点儿语塞，"可能是舞台底下。"

"你们还想打开活门下去？"沃克尔小姐问。

我点点头："也许，如果不这样做不行的话。"

"但我明明白白地告诉过你们，谁都不准动那个活门。"她说。

"我知道，"我对她说，"而且我也觉得很抱歉，我们都很抱歉。但我们真的着急，急着找到那个幽灵，好让你相信，他是真的，不是我们编出来的。"

她的表情还是很严厉，还是紧紧地盯着我们。"这些话都说服不了我。"她说。

"我们到礼堂后，听到了一些声音，"泽克告诉她，不安地挪了挪脚，"有脚步声，木地板的嘎吱声，所以，我

们知道，这儿还有别人。"

"然后，那个幕布就慢慢落下来了，"布莱恩插了进来，声音细细的，还发着抖，"我们只是站在这儿，看着它，沃克尔小姐，事实就是这样。然后我们发现它给弄得一塌糊涂，我们……我们也难以置信！"

沃克尔小姐的表情柔和了一点，布莱恩的语气是那么伤心难过，我想她已经开始相信他了。

"为了那个布景幕，我干得很努力，"布莱恩接着说下去，"它是我来到这个学校做的第一件事，我想把它做好，我不会为了无聊的玩笑，毁掉自己的心血，我真的不会。"

沃克尔小姐放下了胳膊。她把我们每个人都看了一眼，然后又去看那布景幕，无声地读上面潦草的文字：

生人勿近我的家，甜蜜的家！

她闭上眼睛，就那样闭着好一会儿，然后又扭过头来面对我们。"我很想相信你们，"她叹了一口气，坦白地说道，"但现在我也搞不清楚，应不应该相信。"

她在我们面前踱起步来："我忘记拿你们的数学考试卷，所以又回到了学校，然后听到礼堂里有声音，我就进来了。进来之后，就发现你们站在舞台上，幕布已经被涂毁，颜料还没干。现在，你们想要我相信，一个七十年前的幽灵，才是罪魁祸首。"

我一句话都没说，泽克和布莱恩也一样。我觉得已经没什么可说的了。

"奇怪的是，我开始相信你们了。"沃克尔小姐说着，紧紧皱着眉头。

我们三人同时如释重负，嘘出一口气。

"至少，我开始相信你们没有在幕布上乱画，"她大大地摇头，皮包骨的身子打了个寒战。"很晚了，"她轻声细语地说，"我们都回家吧，我得好好想想。也许应该请利维先生调查一下，也许他能帮忙查清楚，到底是谁想破坏我们的演出。"

哎哟，不好，我心想，不要找校长。如果他决定取消演出呢？但我什么都没有说，我们谁都没吭声，甚至都不需要互相打眼色，就一起跟着沃克尔小姐到了走廊。

我心里好轻松，她不但相信了我们，还放我们走了。

她打开了走廊的灯，我们好看得清路。

我们走了几步，跟在她身后。

但随即全都停了下来。

走廊地板上，有好多的红点，点点滴滴，洒了一路。

"啊，看这个！"沃克尔小姐说，"我们的画家有点儿粗心啊，他或者她留下了一条尾巴。"

她又打开一些灯。

我们在长长的走廊里，顺着红点往前走。有个地方的

205

红颜料滴得比较多，成了一小摊，旁边清清楚楚地留着一个鞋印。

"真不敢相信！"泽克小声在我耳边说，"有人留下了蛛丝马迹。"

"我很高兴，"我也小声说，"也许这些颜料能带我们找到破坏布景幕的人。"

"你是指幽灵？"泽克悄悄问。

我们转了个弯，又走过一条红印。

"至少，可以向沃克尔小姐证明，我们说的是真话。"布莱恩轻声说。

我们又拐了个弯。

颜料印迹突然中断。最后一小滴落在一个储物柜前。

"嗯——"沃克尔小姐沉思着，眼睛从颜料移到储物柜上，"痕迹最后似乎指向这个储物柜。"

"嘿！"泽克喊叫起来，吓了我们一跳。他的眼睛瞪得老大，满眼的惊讶。"这是我的储物柜！"

17 泽克被陷害

大家都沉默了好久。

泽克的呼吸声清晰可闻，又短又急。我转身面向他，他正直愣愣地盯着自己的储物柜，盯着那面灰色的金属柜门，好像能将它看穿似的。

"把你的储物柜打开，泽克。"沃克尔小姐下令，话是从牙缝里挤出来的。

"啊?"泽克张口结舌地看着她，好像听不懂那句话。他垂下眼睛，看看自己储物柜下方，地面上的红颜料。

"去，打开储物柜，"沃克尔小姐不耐烦地又说了一句，突然间满脸的厌倦。

泽克有点儿不情愿。"可是里面没什么东西，"他提出反对，"只有书啊，笔记本啊什么的。"

"请。"沃克尔小姐一只手指向那排储物柜，"请，泽克，很晚了。"

"但是，你不认为……"泽克张口想说什么。

沃克尔小姐又指了指储物柜。

"也许，有人想陷害泽克，"我提出假设，"也许有人故意把颜料一路滴到泽克的储物柜边。"

"也许，"沃克尔小姐冷冷地说，"所以我才叫他打开储物柜。"

"好吧，好吧。"泽克说着，去开暗码锁，他的手在微微发抖。他把头凑过去，专心地旋着转盘，转了一次，又反方向转一次。

"别挡光。"他的语气很不客气。

我退了一步。"抱歉。"我没注意到自己挡了他的光。

我向布莱恩瞥了一眼。他两手插在口袋里，斜靠在墙上，紧张地看着泽克开锁。

终于，咔嗒一声，泽克把锁打开了。

他提起拉手，拉开了门。

我和沃克尔小姐同时凑过去往里面看，差点撞了头。

我们俩同时看到了那罐颜料。

一小罐红色颜料，放在储物柜的底板上。

盖子不太紧，泼洒出来的红颜料正顺着罐子边往下淌。

"它不是我的！"泽克高声叫了起来。

沃克尔小姐发出长长的叹息："抱歉，泽克。"

"不是我的！"泽克委屈地大叫，"真的，沃克尔小姐！不是！"

"我要找你的父母来，严肃地谈一谈，"沃克尔小姐说着，咬了咬下嘴唇，"当然了，还有一点，你被开除出校园剧的演出了。"

"啊，不——"泽克愤懑地叫了一声。他狠命甩上柜门，砰的一声，回声在长长的空走廊里一直传递下去。

沃克尔小姐被这声音吓了一跳，她生气地看了泽克一眼，然后转向布莱恩和我。"你们俩也参与了吗？老实说！"

"没有！"布莱恩和我一起叫道，"我们没有干那件事，"我加了一句，我还想说"泽克也没有"。

但我知道，已经来不及了。在储物柜里的颜料面前，说什么都不管用。

泽克根本说不清楚，他死定了。

"如果我发现，你和布莱恩跟这事有关系，我同样也会取消你们的演出资格，同时把你们的父母叫到学校来。"沃克尔小姐警告地说，"现在，你们三个，赶快回家。"

我们转过身，脚步沉重，一言不发地走出了大门。

薄薄的阴云，仿若鬼影，飘过来，挡住了半个月亮。

我跟在泽克和布莱恩后面，走下水泥台阶。一阵风掀

起了我的衣襟。

"你相信吗?"泽克愤愤地说,"居然有这种事,你相信吗?"

"难以置信。"我答道,摇了摇头。可怜的泽克,我知道,他情况不妙。等到他爸爸妈妈接到沃克尔小姐的电话,泽克只怕会大大不妙了。

"那颜料怎么会在你的储物柜里呢?"布莱恩看着泽克的眼睛,眼里充满疑问。

泽克把头一扭。"我怎么知道?"他飞快地反问。

我们走到人行道上。泽克气愤难平,一脚踢去,一个空饮料盒飞到了大街上。

"明天见吧。"布莱恩闷闷不乐地说了句,朝我们轻轻挥了挥手,转身慢吞吞朝自己家走去。

泽克朝另一个方向,慢慢跑去。

"你不和我一起走回去吗?"我喊道。

"不了。"他回头喊了一声,继续向前跑。

他自己走了,我倒是有一点点庆幸。我真的不知道对他说些什么好。

我的心情坏透了。

我垂头丧气,慢慢往前走,脑子乱哄哄地转个不停。然后,我突然发现,有一个圆形的小亮点,在黑暗中向我飘过来。

亮点越来越大，原来是自行车的车头灯。这辆车从学校的停车场转出来，平稳地向我移近。

离我几英尺远时，我认出了车上的人。"汀娜！"我意外地叫道，"你在这里干什么？"

她一个急刹车，身体在座位上猛地一顿。她黑色的眸子反射着我们头顶的路灯，面带微笑，一种很奇怪的微笑。

"嗨，布鲁克，你好吗？"她问。

她在学校里？我想知道，她是刚刚从学校出来吗？

"你从哪里来？"我又问一次。

她脸上还挂着那个奇怪的笑容。"朋友家，"她说，"我刚从朋友家来。"

"你刚才在学校吗？"我冲口而出。

"学校？没有，不是我，"她回答道，把重心从自行车的一边换到另一边，然后骑着自行车，"最好把外套的拉链拉上，布鲁克，"她说，"你可不想感冒，对吧？"

18 玩笑

星期六，我们整天都在礼堂排练。离正式演出只有一个星期了。

大家都很认真，排练进行得很顺利，我只有两次忘词。

但是没有泽克，一切都不一样了。

罗伯特·赫南德兹代替了泽克。我喜欢罗伯特，但这个家伙太严肃认真。他听不懂我开的玩笑。他既不喜欢开玩笑，也不喜欢别人拿他开玩笑。

午饭过后，罗伯特和科里一起排练某一场，沃克尔小姐去吃午饭，还没有回来。

我随便走走，逛到了布莱恩那边。他手里拿着画笔，上面滴着黑颜料，他正凑近新画的布景幕，对灰砖进行最后几笔加工。

"挺不错。"我对他说。突然，我有个强烈的冲动，想在他背上拍一下，吓得他大笔一挥，涂黑一大片。但随后我就想到，这样做不太好。

我不知道，这个冲动是从哪里冒出来的。

"进行得怎么样?"布莱恩头也不抬，问了一句，忙着补上一些漏掉的地方。

"还行，我想。"我回答道。舞台那一边，汀娜在一大罐胶水边忙着，为纸板做的枝形吊灯刷上一层厚厚的胶。

"罗伯特会演好幽灵的。"布莱恩说了句，用画笔杆挠了挠下巴。

"嗯，"我承认，"但我有一点想念泽克。"

布莱恩点点头。然后，他抬起头来，看着我。"你知道吗? 自从泽克一走，就再也没人捣乱了。布景幕没有被破坏，没有神秘的幽灵当着我们的面跳出来，墙上也没有人留言恐吓，什么都没有。自从沃克尔小姐赶走泽克，什么坏事都没有发生。"

在这之前，我从来没有这样想过。但布莱恩说得对，自从泽克被赶走，幽灵就消失得一干二净了。

一切都是那么顺利，我甚至都没有停下来想过这些。

难道这说明，泽克就是幽灵? 所有那些可怕的事，其实都是泽克干的?

"沃克尔小姐叫泽克的爸爸妈妈到学校来，他们有没

有大惊小怪？"布莱恩问道，"他有没有受罚？"

"那还用说。"我一边回答，一边还在想着幽灵的事，"他爸爸妈妈罚他禁闭一辈子，还没收了他的影碟机，让他看不到恐怖电影了。没有恐怖电影，那会要了泽克的命！"

布莱恩轻轻笑了。"也许，泽克就不该看那么多恐怖电影。"他说。

"好了，同学们！"一个声音喊道。我回过头，看到沃克尔小姐已经吃完午饭回来了。"我们从第二幕开头演起，"她叫道，"演完一整幕。"

我向布莱恩说了声再见，急急忙忙回到台上。埃斯美兰达在第二幕的每一场都有戏份儿，这一次，我一定牢牢记住每一句台词。

我走到罗伯特身边站好，看着沃克尔小姐拿起剧本，她一向把它放在那张桌子上。她捧起剧本，想翻到第二幕。

我眼看着她两只手翻着剧本，脸上的表情变了。她短促地叫了一声，声音里充满怒意。她拿着厚厚的剧本又猛扯了几下。

"嘿——"她气恼地叫道，"这回又是谁在开玩笑？"

"沃克尔小姐，怎么了？"罗伯特喊道。

她扬起剧本，气急败坏地挥着。"我的剧本——每一页都被人用胶水粘起来了!"她七窍生烟。

　　舞台上响起一片吃惊的吸气声。

　　"就这样吧!"沃克尔小姐说着,把剧本朝墙上一扔,"这是最后一个玩笑!这戏不演了!都回家去!演出取消!"

19 再闯礼堂

"沃克尔小姐后来改变主意了吗?"泽克问。

我点点头:"嗯,她过了一会儿,就冷静下来了,说可以接着排戏。但心情一直很差。"

"至少这一回,她怪不到我头上。"泽克淡淡地说。他扬手一扔,粉红色的橡皮球从客厅飞过,他那只叫"大男孩"的黑色可卡犬慌里慌张地追了上去。

布莱恩和我顺道去了泽克的家,把排戏时发生的事跟他说了。泽克被禁闭——也许得禁一辈子——不能走出家门。他爸爸妈妈去看电影,过几个小时才回来。

"大男孩"扔下球,朝布莱恩汪汪大叫。

泽克笑了:"它不喜欢你,布莱恩。"他拾起球,在地毯上一弹。

但"大男孩"不理会那个球,一味朝布莱恩吠个不

216

停。

布莱恩脸红了，伸手去拍狗头："你怎么啦，伙计？我不是坏人。"

"大男孩"从布莱恩身边跑开，穿过房间找球去了，球已经滚到了门厅。

"嗯，我想，这说明咱们班上还有别的人在开玩笑。"泽克说着，收敛了笑容，坐在沙发上，"这也可以证明，干出那些坏事的不是我。"

我想说句笑话，但看到泽克一本正经的样子，还是忍住了。

"确实有幽灵，但不是我，"泽克说，"现在，所有人都以为我在撒谎，沃克尔小姐以为我想搞砸这出戏，就连我的爸爸妈妈，也以为我变成了一个坏孩子。"

"你当幽灵，可比罗伯特好多了，"我想让他高兴起来，"还有不到一个星期就演出了，罗伯特还总是把台词搞砸。他说很后悔参加这部戏的选拔，现在都不想演了。"

泽克立即蹦了起来："如果可以证明我不是幽灵，我打赌，沃克尔小姐一定会把这个角色还给我。"

"啊哦！"我说了一句。泽克又在打主意了，他下一句会说什么我都知道。

"啊哦！"布莱恩也来了一句。他也知道泽克要说的是什么。

　　"我们回学校吧，"泽克说，睁大了一双热切的眼睛，"这一回，咱们把幽灵找出来，我真的想拿回那个角色。"

　　我摇摇头："没门儿，泽克——"

　　"我真的想让大家知道，我没有破坏这出戏。"泽克不肯放弃。

　　布莱恩把球朝狗扔过去，狗看着球弹走。"你还在禁闭呢，忘啦？"布莱恩对泽克说。

　　泽克耸耸肩。"如果我们能找到幽灵，证明我没干坏事，我爸爸妈妈就不会追究，然后我也用不着禁闭了。来吧，伙计们，就试这一次，好不好？"

　　我瞧着泽克，冥思苦想。这不是个好主意，上一次我们潜进礼堂，结果惹出了好大的麻烦。

　　从布莱恩的表情，看得出来，他也不想去。

　　但我们怎么能拒绝泽克呢？他简直是在苦苦哀求！

　　这是一个温暖的夜晚，但我还是觉得冷飕飕的。在去学校的路上，我不断地看到黑影，觉得它们在偷偷接近我们，好像就要扑过来。但只要转头定睛一看，它们就嗖的一声不见了。

　　布鲁克，你的想象力丰富过头了。我责备自己。

　　我真想自己的心不要跳得那么厉害，像敲低音鼓似的。

现在如果是安安稳稳地待在家里，和杰里米一起看电视，那该有多好。对于我们的小小冒险，我有一种不好的预感，很不好。

这次，我们没浪费时间去推门，而是直接从家政教室翻窗进了教学楼。然后，我们再一次默默地走过黑暗的走廊，来到礼堂。

后排座位上方，留着一排灯没关。舞台黑沉沉、空荡荡，只在后墙上挂着灰砖布景幕。

泽克领头，走过中间的过道。他给我们一人一个电筒，我们打亮电筒走向舞台。光柱照亮一排排空座位，我举起手里的电筒，在舞台上扫来扫去。

上面没有人，也没有任何异常情况。

"泽克，我们是在浪费时间。"我声音压得低低的，虽然其实没有人会听得到。

他举起一根手指竖在唇边。"我们要到舞台下面去，"泽克轻轻地说，眼睛直视前方，"我们会找到他，布鲁克，这一次，我们一定会找到他。"

从没见过泽克那么认真，那么坚决。冰冷的恐惧沿着我的后背慢慢往下爬，但我决定还是不要反对他。

"呃……也许，你们俩下去，我留在舞台上比较好，"布莱恩提议，"我可以望望风。"

"望什么风？"泽克问道，手电光照在布莱恩脸上。

我看到布莱恩心惊胆战的表情。"看着……会不会有什么人来。"

"咱们三个都下去,"泽克坚持己见,"如果找到幽灵,我要两个证人——你和布鲁克。"

"可是,幽灵是鬼魂啊……对不对?"布莱恩问道,"我们怎么找得到一个鬼魂?"

泽克逼视着他:"我们会找到的。"

布莱恩耸耸肩。我们俩都看得出来,今晚想和泽克争辩是不可能的。

我们走向活门,脚下的木板嘎吱作响。我们手里的电筒光沿着地板上的方形平台的边缘扫了一遍。

布莱恩和我挤在方形中间,泽克用力踩下木栓,然后跳到我们身边。

熟悉的金属声响起,然后是轻轻的嗡嗡声,平台开始下降,舞台似乎突然升了起来。片刻之后,四面都是黑暗,我们被包围在中间。

我们手里的电筒光照在四面墙上,我们在舞台下面,越沉越深。我的心好像也跟着往下沉—— 一直坠到了膝盖!

我们三个互相紧贴着,站在平台中央。摩擦声和挤压声越往下越响,最后,随着重重的砰的一声,我们到底了。

有一阵子，谁都没有动。

泽克第一个抬脚走下平台，他举起手电筒，慢慢扫了一圈。我们身处一个大大的地下室的中央，这儿什么都没有，只有两条通道，通往不同的方向。

"过来，幽灵！过来，男孩！"泽克柔声呼唤，就像叫自己的狗一样，"来呀，幽灵。你在哪儿，幽灵？"他拖长声音叫道。

我走出平台，推了他一下。"住口，"我说，"我还以为你很严肃呢，怎么又搞笑了？"

"想让你们放松点，别那么害怕，"泽克回答。不过，我自然知道真正的原因，他是想让他自己放松点，别那么害怕。

我又回到布莱恩旁边。在幽暗的光线下，他那满脸惊恐的样子，也是够吓人的。"这儿没人，可以上去了吗？"他乞求地说。

"不行，"泽克告诉他，"跟我来，手电筒照着地面，好知道我们走到了什么地方。"

我和布莱恩肩并肩，跟在泽克身后，走进了地下室。我们踏进一条通道，走了几步，又停住脚侧耳倾听。

一片死寂。

我两腿颤抖。说真的，我全身都在抖。但泽克表现得那么勇敢，我绝对不可以让他知道，我有多害怕。

"这条通道也许穿过了整个校园，"泽克小声说，在我们前面晃着手电筒，"也许还更远，可能穿过整个街区！"

我们又走了几步——然后停住了。身后有声音。

金属声，接着是嗡嗡声。

"嘿！"布莱恩尖声大叫，"活门！"

我们转身就往后跑，脚步声重重地回响在黑暗的通道里。

回到活门那里的时候，我胸口疼得厉害，简直无法呼吸。

"它……它上去了！"泽克喊道。

我们束手无策地站在那儿，看着平台越过我们的头顶，向上面的舞台升去。

"按那个开关！"泽克向我喊道，"把它弄回来！"

我在墙上摸索，找到了开头。我想按下去，但是它卡住了。

不行，它卡死了。

根本按不动。

活门停在头顶很高的地方，我们抬头盯着它，谁也不说话，寂静沉重得让人喘不了气。

"泽克，我们被困在下面了，"我说，"上不去，我们会被困死在这儿。"

20 被困地下室

我们一直等着，看有没有人下来。但活门只是静静地悬在很高很高的头顶。

布莱恩战栗着发出一声叹息。"是有人故意这么干的，"他盯着平台小声说，"有人按下开关，把它升了上去。"

"是幽灵!"我喊道，望着泽克，"现在该怎么办?"

泽克耸耸肩。"现在没别的办法，如果想从这儿出去，必须找到幽灵!"

黄色的光圈在地上不停地颤抖，我们转过身，回到通道里。我们跟着光圈，谁都不说话，拐了一个弯，又一个弯。

地面变得松软泥泞，空气越发冷了。

远处传来轻微的啾啾声，但愿只是蝙蝠。

223

布莱恩和我加快了脚步，这才跟得上泽克。他大步前进，光圈跳动，一会儿在他前面，一会儿在他后面。

突然，我听到一种带着韵律的低低的声音。过了一会儿才听清，原来是泽克发出来的，他嘴里正哼着曲子。

得啦，泽克，算了吧！我心想，你已经害怕极啦！哼小曲儿也骗不了我，你和我一样心惊胆战！

我想取笑他，但走到这里，通道突然到头了，我们来到了一个低矮的门厅里。布莱恩往后缩了回去，但泽克和我走到门边，用手电筒照亮了它。

"里面有人吗？"泽克问道，声音又细又古怪。

没有回答。

我伸手推门，它吱吱呀呀地打开了。泽克和我举起手电筒就往里面照。

是一个房间，家具齐全。有折叠椅和一张没有软垫的破沙发，墙边还摆着一排书架。

我的电筒光落在一张小桌子上，上面摆着一只碗，还有一盒玉米片。我拿着手电筒一扫，又看到一张破得不成样子的小床，摆在对面的墙边。

泽克和布莱恩跟在我身后，走进了房间。几条光柱慢慢地扫过每一件物品、每一件家具，一架古老的唱机摆在矮桌上，旁边有一堆旧唱片。

"你能相信吗？"泽克笑容满面地低声说。

"我想，我们找到了幽灵的家。"我也小声地说。

布莱恩向桌子走去，电筒光斜斜地从他面前伸出。他看了看装着玉米片的碗。"幽灵……刚刚还在这儿，"布莱恩说，"玉米片还没完全泡透呢。"

"太奇妙了!"我叫道，"下面真的有人住，这么深的地方……"

我没说下去，因为感觉到有一个喷嚏呼之欲出，更可能是一连串的喷嚏。

我想忍住，但忍不住。我打了一个，两个，五个。

"别打了，布鲁克!"布莱恩恳求地说，"他会听到的!"

"但我们要找的就是他。"泽克提醒布莱恩。

我打了七个喷嚏。然后又是一个。终于，该打的全打完了。

"他听到了，我知道他听到了。"布莱恩忧心忡忡地说，战战兢兢地到处乱看。

砰的一声，门被重重地关上了。

"不——"我们都跳起来，大声惊叫。

我的心跳到了嗓子眼儿里，全身每一条肌肉都打了死结，纹丝不动。

我们转过身，盯着那扇门。有人把它关上了，我知道，这儿一丝风都没有，不可能是被吹上的。

泽克第一个活动起来。他放低手电筒，旋风一样冲到门边，抓住把手，用力一推。

门一动不动。

泽克歪着身子，肩膀抵住门扇，然后扭动把手，用力去推。

还是不行。

他用肩膀去撞门，然后再用力推，将整个身体的重量都压在门上，用力地推。

他终于转过身，走到我们面前，脸上第一次流露出心中的恐惧。"我们……我们被锁在里面了。"他轻声地说。

21 门外有人

我冲上去，站在泽克身边。"也许我们三个人一起来就行了。"我说。

"也许。"泽克回答。但我看得出，他没抱什么希望。

我艰难地吞了吞唾沫。看到连泽克也怕了，我更加怕得要命。

"对，大家一起推，"布莱恩赞同地说，走到我身边，"实在不行的话，拆了门也要出去。"

好样的，布莱恩！我在心里想，他终于拿出一点勇气来了。

我们站成一排，准备用力推。

我又深深地吸了一口气，然后屏住不呼出来，试着让自己冷静一点。我的两条胳膊和两条腿，好像都变成口香糖做的了。

227

这个情形太骇人了，我心想，如果被锁在这个小房间里，找不到出去的办法，我们可能得在这里待上一辈子，房间以外的世界，离我们是那么遥远。

上面的人会四处寻找，但是他们永远都找不到我们。就算我们用最大的肺活量来叫喊，他们也不可能听得到。

我们会被永远地关在这里。

我又做了个深呼吸。"好吧，我们数三下，"我说，"数到三，大家一起用力推。"

泽克开始数："一……二……"

"哇！等等！"我打断了他，盯着那扇门。"我们是推门进来的……对不对？"

"是啊，好像是。"泽克说着，紧紧地盯着我。

"所以这门不是从里面往外推的，"我说，"我们得把它拉开。"

"啊——你说得对！"泽克大叫一声。

我抓住把手，扭动，然后用力一拉。

门开了。

门厅里，站着一个人！

我的手电筒移上去，照在他的脸上，立即便认出了他。

艾米尔，那个自称守夜人的白发小老头。

他堵在门厅里，死死地看着屋里的我们，结着瘢痕的脸上，带着凶狠丑陋的怒气。

22 家，甜蜜的家

"让我们出去!"我尖叫。

他没动。怪异的灰眼睛看着泽克，然后是布莱恩，最后是我。

"你必须让我们出去!"我强硬地说，然后又低声下气地加了一句："求求你啦!"

他脸上的怒气更盛。在手电筒的光照下，他脸颊上的伤疤仿佛更深了。

他没有让路。"你们怎么到下面来了?"他那嘶哑的嗓音低声说道，"你们到我家来干什么?"

"那……你就是幽灵啦?"我冲口而出。

他吃惊地眯起眼睛看我。"幽灵?"他好像在思考这个问题，"我想，这是你们对我的称呼。"

布莱恩发出一声很低的哭叫。

229

"这就是我的家，甜蜜的家，"那人愤怒地说，"你们来干什么？为什么不听我的警告？"

"你的警告？"我问道。我剧烈地发抖，电筒光在墙上像跳舞一样。

"我用尽一切办法，不让你们到这儿来，"幽灵说，"不让你们闯进我的家。"

"你是指在布景墙上涂的字？从布景通道上荡下来？还有我储物柜里的可怕面罩和字条？"我震惊地问。

幽灵点点头："我只是想吓吓你，不想伤害任何人，但我必须保护自己的家。"

"所以，你想阻止我们的演出？"泽克质问了一句，向我靠过来，"你想搞砸这出戏，让我们用不了活门，也就不能发现你在下面？"

幽灵点点头。

"那么，七十二年前，到底发生了什么事？"我问他，"这出戏在第一次排练的时候，你到底出了什么事？为什么那天晚上你失踪了？"

幽灵的表情变了。我看到，他灰白的眼睛里，显出了困惑不解的神情。"我……我不明白。"他不连贯地说，凝神看着我，白发散乱地搭在前额上。

"七十二年前。"我又问一次。

苦涩的微笑浮现在他的唇边。"嘿，我没那么老！"

他回答道，"我才五十七岁。"

"那……你不是幽灵?"泽克狐疑地问。

艾米尔摇摇头，发出疲惫的叹息："我不懂你们说的什么幽灵，年轻人。我只是一个无家可归的可怜人，想保护自己的小天地。"

我们三人仔细地观察他，想知道他说的到底是不是真话，最后我认为，他说的是真的。"你就住在学校的地底下?"我柔声地问，"你怎么知道这里有个小房间?"

"我父亲在这所学校工作了三十年，"艾米尔回答道，"我小的时候，他常常把我带到这儿来。我失去城里的房子之后，想起了这个地方，从那以后，就把这儿当成了家，到现在差不多有六个月了。"

他又恨恨地瞪起了眼睛，伸手将前额的头发拨开，又露出满脸凶相。"但是你们毁了我的家，不是吗?"他厉声指责，"你们给我把这一切全都毁了。"

他动作很快，从门厅一脚踏进来，走进房中，恶狠狠地向我们逼近。

我脚步不稳，连连后退。"你……你想对我们怎么样?"我喊道。

23 你们毁掉了一切

"你们毁掉了一切，一切！"他又说一句，继续向我们走来。

"等等——"我大叫着，举起双手，仿佛这样可以挡住他。

这时，有声音传来。从通道那头，传来了细微的铿锵之声。

我转头去看泽克和布莱恩。他们也听到了。

活门！它在动，正在下降。我们在通道的这头也听得到。

我想，我们三人立即作出了同样的决定。必须到活门那儿去，这是我们唯一的逃生机会。

"你们破坏了一切，"突然间，艾米尔语气中的悲伤，已经多于愤怒，"为什么不听我的警告呢?"

连一句话都用不着说，泽克、布莱恩和我同时冲向门口。"噢!"我撞到了艾米尔身上。

叫我意外的是，他既没有伸手来抓我，也没有企图拦住我。

我带头冲出门去，一路狂奔，我的腿还是像口香糖一样软绵绵的，但我拼了命也要让它们跑起来，跑出一步，再一步。

我没有回头看，但听到泽克和布莱恩就紧跟在身后。然后，传来了艾米尔的声音，在通道里激起回声："你们毁掉了我的一切，一切!"

艾米尔会追上来吗?

我不管，我只想跑到平台上，离开这个地方!

我闭着眼睛，一头冲进七弯八拐的幽黑通道。我的运动鞋陷进松软的泥土，肩膀撞到了坚硬的墙壁，但我一点儿都没有放慢脚步。

光圈在脚边跳动，看到活门了，我举起了手电筒，大口大口地喘着粗气，跑得两肋生疼。

"嗯? 你们在下面干什么?"一个男人的声音喊道。

泽克的爸爸!

泽克、布莱恩和我手忙脚乱地上了平台，挤在他身旁。

"怎么了?"马修斯先生质问，"那是什么声音?"

"上去!"我好不容易说出话来,"带我们上去!"

泽克伸出手,按下开关。这一次它有用了。

平台猛地一晃,开始上升。

我回头看看通道。艾米尔追来了吗?

没有,看不到他。

他甚至没有来追我们。

古怪,我心想,真是古怪。

"我听到一个男人的声音,是谁?"马修斯先生又问。

"一个流浪汉,住在舞台底下。"我把刚刚发生的事说了一遍,还说了他这几个星期是怎么吓唬我们的。

"你怎么知道我们在下面?"泽克问爸爸。

"你本来应该待在家里,"他声色俱厉地回答,"你被禁闭了,还没有解除呢。当我们发现你不在家,我就想到,你准是又溜到舞台这儿来了。学校的侧门开着,我进了礼堂,听到活门在动,所以决定过来看看是怎么回事。"

"我太高兴了!"我大喊一声,真想拥抱马修斯先生。

平台一停,我们就急急忙忙下到舞台上。泽克的爸爸立即去叫警察,告诉他们这儿有一个流浪汉,住在学校的地底下。

警察很快就来了。我们看着他们到活门底下,等着艾米尔被带上来。但是过了不久,他们上来了,并没有带着他。

"下面没有人,"一位警察说。他脱下头盔,挠挠黑色卷发，"也没有人住过的痕迹，只有一张床、几件旧家具。"

"他的食物呢？他的书呢？"我问。

"没有了，"警官回答，"他大概走得很匆忙，地下室的门还开着一条缝。"

警察走了之后，布莱恩说了声"晚安"，走出了礼堂。泽克的爸爸要开车送我回家。

我看着泽克。"好啦，那就是你的幽灵，"我有一点点伤感，"只是一个可怜的流浪汉。没有什么七十二年的鬼魂从建校那天起就在学校阴魂不散，只有一个可怜的流浪汉。"

"嗯，真叫人失望，"泽克郁闷地说，"我真的想见识见识真正的鬼魂，真正的幽灵。"然后，他又高兴起来，"但是，至少沃克尔小姐会相信我了，我又可以参加演出了。"

演出，我几乎已经忘记了这回事。

泽克说得对，我开心地想，他又可以参加演出，一切都好了。

幽灵不存在了。

现在我们都可以松一口气，我心想，现在可以开开心心地排练，准备一场精彩演出了。

嘿，我大错特错！

24 幽灵扮演的幽灵

演出那天晚上，我坐在女孩子的化装室里，大团大团地往脸上涂着化妆品。我以前从来没有化过这么浓的装，而且肯定化得很失败。说到底，我压根儿就不喜欢这些黏糊糊的东西。

但沃克尔小姐说我们一定要这样。就连男孩子也一样。她说舞台的灯光会让化装显得不那么浓，你的脸在台上也不会那么亮闪闪的。

女化装室里简直像发了疯。我们全都用上了九牛二虎之力，把戏服往身上套，把油彩往脸上抹。丽莎·瑞秋和吉娅·本特莉——两个五年级学生，在戏里只是小角色——抢着往落地的镜子面前站，唧唧喳喳地笑着，欣赏自己的模样。

我去照镜子的时候，舞台监督喊了起来："就位！各就各位!"

我的胃猛地一抽。冷静,布鲁克,我命令自己,不就是为了好玩嘛——记得吗?

我走出化装室,穿过走廊进了礼堂,再经过舞台门,在侧台站好。有人在我的肩头拍了一下,我顿时跳起一英尺高。天啊,我不是神经过敏了吧!

我转过身,发现自己正和幽灵脸对脸!

我明知不过是穿着戏服、戴着面罩的泽克罢了,但还是吓了一大跳。"泽克!你的装化得真像那么回事!好可怕!"我告诉他。

泽克没有回答。他一本正经地朝我来了个九十度的鞠躬,然后急忙跑到自己的位置上。

幕布已经放下,但我能听到观众席上传来的嗡嗡声。从幕布的边缝里望出去,哇!座无虚席。这叫我的胃再一次狠狠地做起了跳跃运动。

灯光暗了,礼堂里立即安静下来。舞台的灯打亮,音乐响起。

去吧,布鲁克,我告诉自己,只管去。

演出一直没出什么状况,直到第一幕结束。在那之前,我们表现得相当好。

幕布拉开,观众鼓掌,我和科里一起走上舞台。怯场

的毛病已经被抛到了脑后。

"小心，女儿，"演父亲的科里警告说，"剧院的地底住着一个生灵，一个扭曲的幽灵，结着伤疤，狰狞而又丑恶。"

"我不相信，父亲，"我演的埃斯美兰达说，"你只不过想控制我，把我当孩子！"

观众似乎看得津津有味。在该笑的地方他们大笑，掌声响起了好几次。

太棒了！我心想，我的心情只有兴奋，而没有紧张。在台上的每一分钟，我都觉得是享受。

第一幕快到尾声，这出戏最精彩的部分就要来了。干冰制造的烟雾慢慢地淹没舞台，蓝光在缭绕的雾气中旋转，气氛神秘诡异，有梦幻般的效果。

我听到活门启动的声音，知道它正载着打扮成幽灵的泽克，从地下升上来。

片刻之后，幽灵就要隆重登场，从蓝色的烟雾中冉冉升起。

观众们一定很欣赏这个场面，我心想。烟雾在我黄色的拖地长裙边涌动。

"幽灵，是你吗？"我扬声说道，"你来看我吗？"

幽灵的蓝绿色面罩在烟雾中浮现，然后他披着黑斗篷的肩膀也显现出来。

　　观众们很是意外，鼓起掌来。幽灵现身，挺立在烟雾中，黑色的斗篷在身后翻飞。

　　而后，他向我走来，走得很慢，气度威严。

　　"哦，幽灵！我们终于相会了！"我拿出所有的激情喊道，"我梦想这一刻已经好久了！"

　　我握住他戴手套的手，领着他穿过翻涌的蓝雾，来到舞台前面。

　　雪白的射灯打在我们身上。

　　我转身面对他，凝视他蓝绿面罩后面的双眼。

　　立刻，我就发现，他不是泽克！

25 幽灵的告白

我刚想张嘴尖叫，但他紧紧地捏了一下我的手。

他的眼睛迫切地看着我的眼睛，好像在用眼光恳求我，求我不要说出来，不要揭露他。

他是谁？我很奇怪，在明亮的灯光下全身僵硬，为什么我觉得认识他？

我扭头望向观众席，一片安静，大家等着我开口。

我深吸一口气，说出埃斯美兰达的下一句台词："幽灵，为什么你徘徊在这个剧院里？请把你的故事告诉我，我不会害怕。"

幽灵一拂身后的斗篷，眼睛依然牢牢地盯着我，套手套的手还是紧抓着我不放，好像怕我会逃跑。

"我住在这剧场的地下已经超过了七十年，"他说，"我的故事充满了悲伤，你甚至可以称之为悲剧，我美丽的埃斯美兰达。"

"请说下去!"我喊道。

他是谁?我暗暗问自己,谁?

"我被选中在一部戏中担任主角,"幽灵吐露心声,"就在这座剧院上演,那原本应该是我生命中最精彩的一夜!"

他停了下来,深深地、长长地,吸了一口气。

我的心猛地跳了一下。他没有按剧本演出,我发现了,这些不是原来的台词。

他在说什么?

"但是,属于我的精彩之夜从未来临!"幽灵继续说道,还是抓着我的手,"知道吗,亲爱的埃斯美兰达,就在演出前一个小时,我摔倒了,我摔进了死亡的陷阱!"

我大吃一惊。他的手,正指着那道活门。

我知道他是谁了。他就是失踪的男孩。那个男孩,七十二年前,正是幽灵一戏的主角。但从那时起就永远地失去了踪影。

他就在这里,站在我旁边,在同一个舞台上。他就在这里,告诉我们他是怎么消失的,为什么这出戏永远不能上演。

"那儿!"他喊道,指着舞台台面上的空洞,"就是我倒下去的地方!我摔倒了!我死了,变成了真正的幽灵。

从那以后，我就在下面苦苦等待。等啊，等啊，等待一个像今天这样的夜晚，我终于可以扮演一生当中最重要的角色！"

这段话结束，观众席爆发出响亮的喝彩声和掌声。

他们还以为这是戏里的内容，我知道，他们不知道在这些话的背后，包含着真正的痛苦。他们不知道他所说的，就是自己真实的故事。

幽灵深深地鞠了一躬，掌声更加热烈。

烟雾笼罩了我们俩。

他是谁？谁？

这个问题反反复复出现在我的脑中。

我必须要知道答案，我要知道这个幽灵是谁。

就在他直起身子的时候，我挣脱了他的手。

然后一伸手——揭下了他的面罩！

26 幽灵到底是谁？

我用力瞪大眼睛，透过浓浓的蓝雾，急于看清他的脸。

耀眼的射灯照到了我的眼睛，我眼前顿时一花。

就在这一瞬间，幽灵两只手捂住了脸。

我又去拉他的手。

"不!"他尖叫，"不——你不能这样!"

他踉跄着后退，从我身旁退开。

踉跄着失去了平衡。

"不! 不!"他高喊，"你不能这样! 不能这样!"

他向后倒下。

跌进了打开的活门里。

消失在回旋缭绕的蓝雾中。

我听到他的尖叫声一直沉向地底。

然后沉寂无声。

可怕而呆滞的沉寂。

观众起立，爆发出震耳欲聋的掌声，还有人大声喝彩："好啊！"

他们都以为这是在演戏。

但我比他们清楚。我知道幽灵在事隔七十二年之后，终于现身了，终于等到了站在舞台上的一刻。

而后他又死了一次，彻底灰飞烟灭。

幕布拉上，隔开了观众们的热烈欢呼，我站在台面的空洞边，两手捂着脸。

我说不出话来，也动不了。

我盯着脚下的洞口，看到的只有黑暗。

然后，我抬起视线，看到泽克跑上舞台，向我这边来了。他穿着牛仔裤和白T恤衫，跑得歪歪斜斜，表情一片茫然。

"泽克！"我叫了一声。

"啊，好像是有人打了我一下，"他愤愤地说着，摸着后脑勺，"我晕了过去，"他看着我的眼睛，"布鲁克，你没事吧？那……"

"幽灵！"我叫出来，"他演了你的角色，泽克，他……他……在下面！"我指指洞口，"我们得下去找他！"

我踩了木栓，活门咔啦啦地响了起来，平台回到台面。

泽克和我上去了。

我们把平台放下去，落到幽深的地下室里。

每个角落都看了，没有他。

面罩找不到，戏服也没有，什么都没有。

不知道为什么，我知道我们会一无所获。

不知道为什么，我知道我们不会再见到他。

"演得太好了，同学们！太好了！"我们全体回到后台，沃克尔小姐嚷道，"幽灵，我喜欢你加的台词！干得好！咱们大家庆祝会上再见吧！"

泽克和我费了好大的力气，想去化装室换衣服，但被一大群人围住了。他们纷纷向我们表示祝贺，赞扬我们的演出既精彩，又恐怖。

这出戏取得了圆满成功！

我到处找布莱恩，想告诉他幽灵的事。但在一大群兴奋的亲友中间，没有他的身影。

"来……我们走吧！"泽克喊道，拉着我的手走出礼堂，来到走廊上。

"哇塞！我们成功啦！"我大喊大叫。疲惫、兴奋、眩晕和狂热，种种滋味同时向我袭来。

"拿上外套，回家再换衣服吧，"泽克提议，"路上我

们可以分析一下，是谁演了我的戏。换完衣服再到我家碰头，一起去庆祝会。"

"好吧，"我同意，"但是要快点儿，我爸爸妈妈还等着呢，等着告诉我，我是一个多么了不起的大明星!"

热烈的欢声笑语从礼堂飞出，追着我们一直来到储物柜旁。

"嘿——"我在自己的储物柜前停下，"看，泽克……门是开的，我明明锁上了。"

"真古怪。"泽克喃喃道。

我呼地把门全拉开，一本书跌落在地。

我弯腰拾起。这是一本旧书，棕色的封面上落满灰尘，破损得厉害。我把它倒过来，在暗淡的走廊灯下看它的封面。

"这是一本很久以前的年刊，"我告诉泽克，"瞧，就是我们学校的，伍斯密尔，不过它是一九二〇年的。"

"啊？怎么会在你的储物柜里?"泽克说着，低头去看。

我看到一张破旧的纸片，它夹在书里，是一张书签。

两手捧着这本沉重古老的年刊，我翻到书签标记的那一页。

"哇!"泽克喊叫起来，"真不敢相信!"

我们看到一篇说明文章，内容是关于我们刚刚才演过的戏剧，上面的标题是《即将在春季演出的<幽灵>》。

"肯定是这一年早些时候写的，"我说，"我们知道，那出戏从来没有正式上演过，当时具体发生了什么事，我们现在也清楚了。"

"把书拿到亮处去，"泽克下令，"看看照片。"

我举起书，跟他一起仔细看满满两页的小照片。

然后我们看到了它。

一张又小又模糊的黑白照片，上面是在戏中担任主角的男孩，这个男孩扮演幽灵，这个男孩最后消失得无影无踪。

这个男孩是布莱恩。

沼泽怪兽

（精彩片段）

6 弟弟失踪

我全神·贯注地听着，吓得一动都不敢动。

又是长长的一声悲鸣，是从房子外面传来的，不是克拉克的房间。

"别这样！"我骂自己，"克拉克才会这么异想天开，你不会的。"

可是我没办法让自己不去听那沼泽地里的怪叫。

是什么动物吗？还是沼泽怪兽？

我把枕头压在脸上，过了好长时间才睡着。

当我醒来的时候，弄不清时间到底是早晨还是深夜。在一个没有窗户的房间，想弄明白这一点是不可能的。

看看表，八点半，是早上。

我翻翻行李箱，找那件新的粉红色T恤衫。一定得找东西让自己高兴一点，而粉红色是我最喜欢的颜色。我穿上牛仔裤，蹬上满是泥巴的运动鞋。

我很快就穿好了衣服。这房间让人想起监狱里的囚室，我一分钟都不想多待。

我打开房门，往走廊里看去。

空的。

不过，在我的房间对面，有一扇很小的窗户，昨天晚上我没发现。

明亮的阳光穿透蒙尘的玻璃，照了进来。我向窗外看去，眼前是一片沼泽地。

一层浓雾弥漫在柏树红褐色的枝叶间，在潮湿的泥地上闪着微微的红光。这片闪亮的雾气让沼泽地充满了神秘而虚幻的色彩。

近处的树枝上，有个紫色的东西在扑棱。原来是一只紫色的小鸟。这只鸟有着鲜艳夺目的橘黄色尖嘴，我从来没有见过。

这时，我又听到了那些声音。

恐怖的噪叫，刺耳的嘶吼。

来自躲藏在沼泽深处的动物——各种各样，也许我从没见过。

沼泽动物。

沼泽怪兽。

预告

神秘传说之谜

（精彩片段）

16 伊瓦娜的警告

我和玛丽莎急得大喊大叫，跟着努卡冲进那片林子。

"努卡——喂，努卡！"我高声呼唤，在树林里激起一片回声。

"努卡——嘿，努卡！"

叫声一遍又一遍地响起，回荡在树林周围。

我听到他在前面吼叫，听到他窸窸窣窣地在树与树之间钻来钻去，追赶那只肥胖的松鼠。

"努卡——回来！"玛丽莎的叫喊同样在林子里响成一片。

我们这样追着他喊，听起来就好像有几十个我们在森林里，全都在追着他，全都在急切地呼唤他，让他不要再追松鼠，回到我们身边。

"哇！"我想从两棵白皮树之间的空隙里钻过去，可是背包却卡住了。

"哟!"

它拉得我猛地一顿,差点摔倒。

笨笨先生,我还是叫这个名字好了。

"努卡!喂——努卡!"我听到玛丽莎已经走到我前面去了。

我继续努力,用力往外钻,但背包还是卡着。于是我只好退回去,脱身出来,再找一个宽一点的树缝。

片刻之后,我追上了妹妹。她已经不跑了,靠在一棵树上直喘气。

"他在哪里?"我喊道,"看到他了吗?他跑到哪里去了?"

"我……我找不到他了,"玛丽莎上气不接下气地说,"连他的声音都听不见了。"

我侧耳听了听,林子里一片寂静。没有脚步声,没有吼叫声,头顶的树叶互相摩擦,轻轻发出耳语般的声响。

"可是,他怎么说跑就跑了?"我吼道,"他不是我们的向导吗?"

"我想,他实在是太想抓住那只松鼠了。"玛丽莎淡淡地说。

"可是……可是……"我气急败坏,"他不能这么干,光顾自己跑,把我们俩扔在这儿。"

玛丽莎叹了一口气："我想他想不到那么多。"

"一定要找到他！"我叫道，"来吧，咱们还得接着追，不能让他……"

玛丽莎摇了摇头。"怎么找，贾斯汀？我们该往哪边去？"

"顺着他的脚印走。"我低下头去，只看到厚厚的一层落叶铺在地面上。

没有脚印。

"我觉得他朝那边去了。"我伸手往树林深处一指。

玛丽莎摇了摇头。"我觉得不是。"她一用力，站直了身子，"他走得没影了，贾斯汀。"

我转过身去，心急如焚地寻找他的身影，哪怕有一丝一毫的踪迹也好。

"嘿——那是什么？"玛丽莎叫道。

"嗯？"我又转身面对她。

"你的口袋里，"她伸手指着说，"是什么？"

我摸不着头脑，伸手到牛仔裤后面的口袋里——摸出了一张折起来的纸条。我的手汗津津的，粘在纸上，不过我还是飞快地把它打开了。

"好像是便条，"我告诉玛丽莎，"手写的，字很小。"

"得了，快念！"她叫道。

我先扫了一眼纸页下边："是……是伊瓦娜写的。"我激动地说。

"写的什么?"玛丽莎急不可待地追问。

我展开纸页,大声念出纸条上的内容:

亲爱的孩子们,和努卡在一起,就能通过考验。不要让他走出视线。千万不要与他走散——否则你们就完了。

鸡皮疙瘩 俱乐部，进行时！……

下面的这段话你要牢牢记住哦。瞪大眼睛看清楚，可能你的人生会就此转变！

鸡皮疙瘩 "我不怕——"

主题征文大赛暨勇敢者宣言大征集开始喽！

你是不是在生活中经常遇到一些惊险、有趣的事呢？把这些让人起鸡皮疙瘩的故事告诉我们吧。参加"我不怕——"主题征文大赛和勇敢者宣言征集，你的作品将有机会入选《鸡皮疙瘩"我不怕——"主题征文大赛获奖作品选》，本书将由接力出版社于2010年12月正式出版，你还将有机会获得著名作家的亲自点评。

大赛指南

一、选手资格

凡购买"鸡皮疙瘩系列丛书"的读者，持有本页左下方的"我不怕——"标志，即可成为选手。

二、参赛要求

1. 以"我不怕——"为题，发挥你的创意或者记录你身边的惊险故事，字数500—1000字。
2. 以"勇敢"为主题，说出自己的勇敢宣言。字数不超过50字。

三、参赛方式

选手将作品和"我不怕——"标志一起寄到北京东城区东中街58号美惠大厦3单元1203室接力出版社"鸡皮疙瘩"编辑部，邮编100027。来信请留下详细的通信地址和邮编。应广大小读者的热切期望，本活动截止时间至2010年8月30日。

四、评选和奖励

获奖作品将入选《鸡皮疙瘩"我不怕——"主题征文大赛获奖作品选》，本书将于2010年12月由接力出版社正式出版。获奖名单及入选作品将于2010年10月在全国重要媒体和接力社网站上公布。

特等奖20名
参赛征文将得到著名作家的亲自点评，入选《鸡皮疙瘩"我不怕——"主题征文大赛获奖作品选》图书，作者获稿酬50元，由接力出版社赠送样书两册。

优秀奖100名
参赛征文入选《鸡皮疙瘩"我不怕——"主题征文大赛获奖作品选》图书，作者获稿酬50元，由接力出版社赠送样书两册。

鼓励奖500名（仅限勇敢者宣言）
接力出版社赠送《鸡皮疙瘩"我不怕——"主题征文大赛获奖作品选》图书一册。

欢迎参加！

《鸡皮疙瘩"我不怕——"主题征文大赛获奖作品选》将收录100篇获奖优秀征文、500个勇士的宣言）

"勇敢之心"珍藏行动
——有奖集花连环拼图游戏

奖品和奖励

来看看这些诱人的奖品吧，这是对勇敢者的犒赏！还等什么，赶快行动吧！

特等奖1名：　　数码相机一台，价值3000元

一等奖5名：　　遥控玩具一个，价值500元

二等奖50名：　　超酷滑板一个，价值100元

三等奖500名：接力出版社获奖图书一册

（以下十种任选一本）

《黑焰》、《万物简史》、《舞蹈课》、《亮晶晶》、《亚瑟和黑暗王子》、《来自热带丛林的女孩》、"淘气包马小跳系列"一册、"小香咕新传"系列一册、"魔眼少女佩吉·苏"一册、"秦文君花香文集"一册

玩家提示

　　作为一个勇士，艰难行进在斯坦的魔幻世界中，好奇之心、无畏之心、真诚之心、自信之心、快乐之心、幻想之心，这些闪闪发光的品质都是我们必备的。只有这样，才能在布满荆棘的惊险旅程中全身而退，得到勇敢者的称号。那么，勇士们，来寻找这些心吧，只要你集齐这六颗心，拼成一颗大大的"勇敢之心"，无数荣耀就在前方等着你。

游戏指南

　　收集分散在六本书中的六颗心，拼成一颗大的"勇敢之心"寄到北京东城区东中街58号美惠大厦3单元1203室接力出版社"鸡皮疙瘩"编辑部，邮编100027，即可参加抽奖。本活动截止日期为2010年6月31日。

真诚之心

奖

神秘勇敢指数测试

入口
成长的殿堂

很多孩子都渴望长大，向往成年人的自由自在。在这座成长的殿堂之内，隐藏着神秘的力量，你进去再出来之后，会发现自己已经不再是小毛头。可是……嗯，它造成了一点副作用，成长过头了，你惊讶地发现已为人父母，面对自己十几岁的孩子，你该怎么办呢？

1. 你需要为孩子制订一些家规吗？

包括你希望他（她）几点回家、他（她）应该交什么样的朋友、什么事情是绝对不允许做的，比如说逃学或撒谎……你觉得有必要制订这样的规则吗？

是□　否□

2. 你打算监视你的孩子吗？

有时候孩子越是需要自由空间，你就越想了解他的世界！你会暗中监视他，看看他是不是跟坏孩子来往。你还很想知道他在跟谁打电话，那些信件或者E-mail又是给谁的。你会监视或偷看吗？

是□　否□

3. 你会如何提出你的建议？

有时候，你的孩子会为一些事情感到困惑，比如说对老师或朋友的不满，对学习与未来的迷茫，这时候你会如何提出你的建议呢？
我会评批他的这种观点□
我会举出自己的经历来说明问题，做出榜样□
我会用一种不经意的不带判断的方式来和他谈，就像朋友一样□

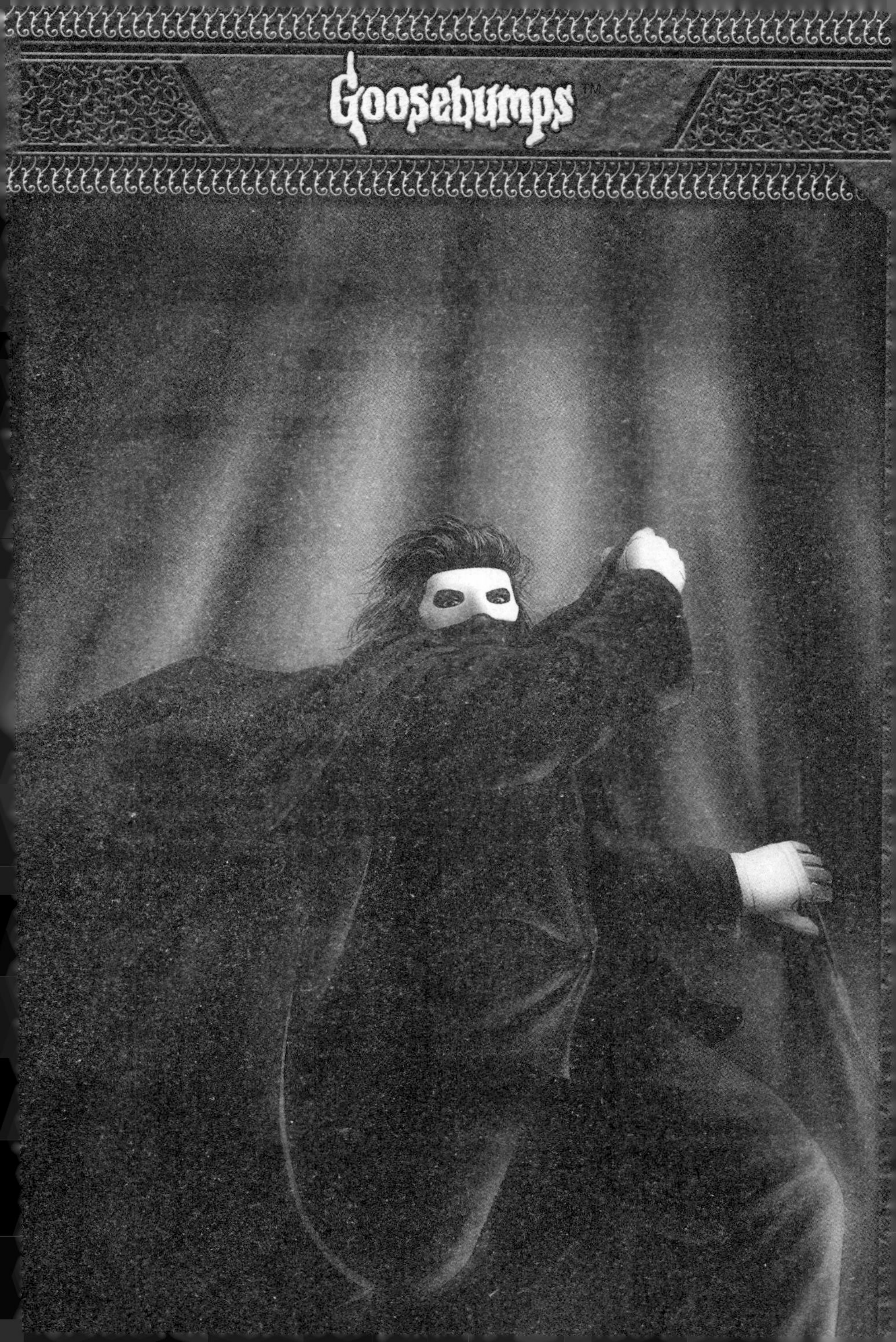
Goosebumps™

4. 当孩子对他自己的外表产生不满时，你会怎么做?

告诉他内在比外表更重要□
帮他安排健身或减肥计划，并亲自督促实施□

5. 孩子有时会对某些事情显示出过分关注，比如网络、游戏和一些电影、动漫，你的态度如何?

只要不影响正常生活，我不会禁止的□
制订计划，安排每日可以进行这些活动的时间□
我绝对不许他接触这些玩物丧志的东西□

解析：我们已经出过两批"鸡皮疙瘩系列丛书"，并配套编制了11套勇气指数测试题，相信各位小读者朋友已经做过了。你了解自己吗?你的父母了解你吗?他们又是怎样看待你成长的问题呢?借助这个成长的殿堂，希望你自己认真考虑上述问题，并与你的父母进行讨论，把你的视角和父母的视角综合起来，共同面对成长的道路。

分析

1. 建议家长为孩子制订明确的家庭规则，这是孩子自由的象征，同时也是你对孩子信任的表示，只要在合适的范围之内，他做出自己的安排就是合情合理的。注意，制订规则的过程最好与孩子协商，而不是以家长的权威去强迫执行。

2. 除非特殊情况，否则不要监视孩子的行为，如果你打算这么做，那你就冒着你们彼此产生猜疑的风险，这很可能摧毁你们之间的信任。如果特定的情况使你觉得有必要对孩子的隐私加以干涉，那么在采取可能令你感到遗憾的任何行动之前，请寻求专家的建议——如心理咨询师、家教咨询师或孩子的班主任老师。

3. 十几岁的孩子很容易对周围的事物感到迷茫而困惑。有时候他们把这种困惑表达出来，实际上确实需要得到父母的反馈。但你首先要做一个好的"听众"，让孩子把话说完，而不是急着打断他的某些"错误观点"。以不带判断的方式去评论，避免将矛盾升级，你可以用自己的经验做出榜样，但不要坚持他必须按你说的办，或者表示他现在的所作所为很愚蠢。

4. 十几岁的孩子实际上很关注自己的外表，他们希望自己更帅气或更漂亮，这无可厚非，就像成人爱美一样。这时候只以"内涵重于外表"来说教，是没有任何说服力的。你需要和他一起制订健身计划，健康是成长最重要的组成部分。同样要注意的是，在锻炼过程中，孩子有可能难以坚持，合适的鼓励和督促必不可少。这个时候不要去打击他的积极性，抨击他"没有毅力"会严重损伤孩子的自尊心。

5. 这是一个备受争议的问题，需要指出的是，也许你觉得他的爱好很荒谬，但他却相当认真，这需要得到你的同情与关注。建议认真了解他喜好的理由，并和他一起作出合理的时间安排，除非严重影响学习和日常生活，否则不要强行禁止。

本测试题由著名心理咨询师、原中央教育科学研究所心理研究员孙靖（笔名：艾西恩）设计。

情报站

1995年　"鸡皮疙瘩系列丛书"改编成电视
　　　　剧，在美国连续四年收视率第一

1995年　"鸡皮疙瘩主题乐园"落户美国迪斯
　　　　尼乐园

1995年　R.L.斯坦获选美国《人物》周刊年
　　　　度最有魅力人物

2003年　"鸡皮疙瘩系列丛书"被吉尼斯世界
　　　　纪录大全评定为销量最大的儿童系
　　　　列图书

2007年　R.L.斯坦获得美国惊险小说作家最
　　　　高奖——银弹奖

2008年　"鸡皮疙瘩系列丛书"电影改编版权
　　　　被美国哥伦比亚电影集团公司买断并
　　　　将翻拍成好莱坞大片

桂图登字:20－2008－017

图书在版编目（CIP）数据

灵偶Ⅱ·幽灵阴影/(美) 斯坦 (Stine, R.L.) 著；叶芊译.—南宁：接力出版社，2008.9

（鸡皮疙瘩系列丛书：升级版）

书名原文：Night of the Living Dummy ·Phantom of the Auditorium

ISBN 978-7-5448-0418-9

Ⅰ.灵… Ⅱ.①斯…②叶… Ⅲ.儿童文学-长篇小说-作品集-美国-现代 Ⅳ.I712.84

中国版本图书馆CIP数据核字（2008）第128304号

总策划：白　冰　黄　俭　黄集伟　郭树坤　　总校译：覃学岚
责任编辑：张蓓蓓　　美术编辑：郭树坤　卢　强
责任校对：李佳庆　　责任监印：刘　签
版权联络：钱　俊　　媒介主理：常晓武　马　婕

社长：黄　俭　　总编辑：白　冰
出版发行：接力出版社
社址：广西南宁市园湖南路9号　　邮编：530022
电话：0771-5863339（发行部）　　010-65545240（发行部）
传真：0771-5863291（发行部）　　010-65545210（发行部）
网址：http://www.jielibeijing.com　http://www.jielibook.com
E-mail:jielipub@public.nn.gx.cn

经销：新华书店

印制：三河市和达印务有限公司
开本：850毫米×1168毫米　　1 /32
印张：9　　字数：170千字
版次：2008年9月第1版　　印次：2010年3月第4次印刷
印数：60 001—75 000册
定价：18.00 元